AN GARDA CÓSTA

An Chéad Eagrán 2012
© Máire Uí Dhufaigh 2012

ISBN 0 898332 62 9

Clóchur, dearadh agus pictiúr clúdaigh: Caomhán Ó Scolaí
Clódóireacht: Clódóirí Lurgan

*Ghnóthaigh an leabhar seo an chéad duais d'fhicsean do
dhéagóirí i gComórtais Liteartha an Oireachtais 2011*

Foras na Gaeilge

*Tugann Foras na Gaeilge
tacaíocht airgid do Leabhar Breac*

*Tugann an Chomhairle Ealaíon
tacaíocht airgid do Leabhar Breac*

Leabhar Breac, Indreabhán, Co. na Gaillimhe.
www.leabharbreac.com

An Garda Cósta

Máire Uí Dhufaigh

LEABHAR
BREAC

I gCuimhne ar mo Mháthair, Bríd.

Caibidil 1

Bhreathnaigh Caitríona anonn ar an bhfoirgneamh mór liath. 'Meastú an bhfuil sé fíor go bhfuil taibhsí ann?'

'Bhuel, gheobhaidh muid amach anocht,' arsa Iain. 'Agus má éiríonn linn pictiúr de cheann acu a fháil cuirfidh muid suas ar YouTube é. Na lads sin a chuir an geall liom, tá siad ag iarraidh cruthú go raibh muid istigh ann.'

'B'fhéidir nach mbeidh aon seans eile againn. Tá scéal ag dul thart go bhfuil tógálaí mór le rá tar éis an áit a cheannacht,' a dúirt Bríd, 'le brú nó óstán a dhéanamh as.'

Taobh istigh den gheata ag seanstáisiún an gharda cósta a bhí Caitríona Pheadair Ní Fhlatharta lena col ceathrar Bríd agus a gcara Iain. Bhí an stáisiún, nó an mar a thugtaí de ghnáth air, suite go taibhsiúil gruama ar an gcnoc os cionn an bhaile. Ba sceirdiúil an áit é, go háirithe anois agus é ag tarraingt ar mheán oíche. Taobh amuigh de scréachaíl na bpréachán, a raibh nead-racha acu i seanbhallaí an stáisiúin, ní raibh le cloisteáil ag an triúr óg a bhí suite ann ach torann na dtonn ag briseadh ar thrá an oileáin agus ceol bríomhar bhosca ceoil ag teacht ar an ngaoth ó Óstán Bharr na Céibhe. Ar an mórthír, i bhfad uathu trasna an chuain, bhí soilse le feiceáil acu ag glioscarnach sa dorchadas. Bhreathnaigh Caitríona anonn ar an bhfothrach arís.

'Brú! Anseo...! Ag magadh atá tú!' a dúirt sí. 'Cé a bheadh ag iarraidh fanacht ina leithid d'áit iargúlta?'

'Déarfainnse go ndéanfadh sé óstán breá,' a dúirt Iain. 'Foirgneamh mór dhá stór ar bharr an chnoic ag breathnú amach ar an gcuan! Thaitneodh sé le turasóirí. Tá mé cinnte de. Ach, dar ndóigh, theastódh obair a dhéanamh air.'

'D'fhéadfá a rá go dteastódh. Chuile shamhradh a thagaim anseo bíonn tuilleadh leaca tite de,' a deir Bríd. 'Ach, mar sin féin, b'fhiú an t-airgead a chaitheamh air.'

Ach ní fhéadfadh Caitríona an foirgneamh gránna seo a shamhlú ina óstán. 'Cuma cé méid a bheadh caite ag cur caoi air.

'Bhuel, ní fhanfainnse ann dá n-íocfá mé,' a deir sí. 'Tá sé chomh haisteach mar áit! Ní bheadh aon iontas orm dá mbeadh taibhsí ann.'

Theastaigh ó Bhríd a fháil amach ansin ar chreid Iain i dtaibhsí.

'Ní chreidim! Ach tá an oiread cainte déanta faoin Station ó tháinig na seandálaithe anseo gur mhaith liom an taobh istigh de a fheiceáil dom féin ... chomh maith leis an áit a bhfuil siad ag tochailt ann.'

Faoin am seo bhí an fuacht ag cur as do Bhríd agus í ag éirí mífhoighdeach.

'Ach tuige a gcaithfidh muid fanacht le Séamas?' a d'fhiafraigh sí d'Iain. 'Tá mise caillte leis an bhfuacht!'

'Dúirt mé leat cheana. Beidh tóirse ceart ag Séamas. Agus ar aon chaoi, dá mbeadh cóta nó seaicéad ort ní bhraithfeá an fuacht. Agus tá Caitríona chomh dona leat. Breathnaigh oraibh! Gúnaí beaga samhraidh! Ní thuigim cén fáth a mbíonn cailíní chomh hamaideach.'

DÍCHÉILLÍ! a deir Caitríona. Bhí faisean aici Iain a cheartú dá n-úsáidfeadh sé focal nach mbeadh acu in Oileán na Leice.

'Ó, gabh mo leithscéal, a mhúinteoir. 'Díchéillí' atá sibh. An-díchéillí,' a dúirt sé agus é ag fáisceadh a sheaic-éad teolaí timpeall air féin agus ag sá a chuid lámha síos sna pócaí.

Bhí imní ag teacht ar Chaitríona. Ab é go raibh a intinn athraithe ag Séamas? An raibh sé le theacht ar chor ar bith? Ní bheadh sí san áit fuar feannta seo beag ná mór murach Séamas Jim. Rud nár thuig an bheirt a bhí in éineacht léi. Thaitin Séamas le Caitríona thar aon lad dar casadh riamh uirthi. Chomh luath agus a chuala sí faoin socrú don oíche anocht chuir sí téacs chuige. Bhí sí ag dul ag tóraíocht taibhsí thuas ag an Station in éineacht le Bríd agus Iain a dúirt sí sa téacs. An mbeadh seisean ann? Bhí dhá chroí aici nuair a tháinig an freagra uaidh.

'Ba cheart duitse glaoch air,' a dúirt sí le Iain anois.

'Ghlaoigh mé tamall ó shin ach níl sé ag freagairt.'

'Níl ann ach seans go dtiocfaidh sé,' a deir Bríd. 'Nach bhfuil muid anseo anois le uair an chloig?'

Ach ní raibh amhras ar bith ar Iain. Thiocfadh Séamas, a dúirt sé. Ní ligfeadh sé síos iad. Bhí a fhios aige faoin ngeall.

'Cé méid de gheall a chuir na lads leat ar aon chaoi?' a d'fhiafraigh Bríd de.

'Fiche euro.'

'Agus roinnfidh tú linne é?'

'Ceannóidh mé uachtar reoite an duine daoibh!'

'Muise mura tú atá flaithiúil!'

'Ach meastú cá bhfuil Séamas ar aon chaoi,' a d'fhiafraigh Caitríona d'Iain. 'Cá mbeadh sé an tráth seo d'oíche?'

'San óstán, cheapfainn,' a deir Iain.

'Ach níl Séamas ach cúig bliana déag,' a dúirt Caitríona. Cúpla mí níos sine ná í féin. 'Ní ligfí isteach san óstán é. An ligfí?'

'Bhuel, chonaic mo dhearthair ann é le deireanas. Cúpla uair.'

'Cúpla babhta.'

'Bhuel cúpla babhta mar sin. Caithfidh nach bhfuil siad chomh dian agus a cheapann tusa.'

'Is dóigh nach bhfuil, ó cheannaigh an dream nua é. Nuair a bhíodh an t-óstán ag Cáit Mhicil chaithfeá a bheith ag tarraingt an phinsin sula ligfeadh sí isteach sa mbeár thú! Sin é a dúirt m'uncail ar aon chaoi.'

Lig Iain scairt gháire as.

'Go gcaithfeá a bheith ag tarraingt an phinsin...! Sin leagan greannmhar.'

'Barúil!'

'Ó sea. Barúil. AN-BHARÚIL.' Bhí sé ag cur canúint láidir air féin.

Thosaigh Bríd ag sciotaíl.

'Tá tú ag déanamh go maith, a Iain!' a dúirt sí, agus 'chaon scairt aisti. 'Is gearr anois go mbeidh Gaeilge bhreá agat! Gaeilge Oileán na Leice, a mhac!'

'Fuist!' a dúirt Caitríona. 'Déanaigí go réidh, an bheirt agaibh.'

Ní raibh aon suim aici sa gcraic a bhí ar bun acu. Bhí a cluasa bioraithe aici, ag súil go dtiocfadh Séamas aníos an cnoc nóiméad ar bith. Ach faitíos a croí uirthi ag an am céanna nach dtiocfadh sé ar chor ar bith. Nuair a bhí deich nóiméad eile caite, d'éirigh sí de léim.

'An bhfuil muid leis an oíche a chaitheamh suite anseo? Nó an bhfuil muid ag dul isteach?'

'Ach bheadh sé contúirteach,' arsa Iain. 'Gan solas a bheith againn.'

'Contúirteach!' Bhí cantal ar Chaitríona anois. Cantal, chaithfeadh sí a admháil, a bhain níos mó le Séamas ná le Iain.

'Tú féin is do chuid contúirtí! Tá aiféala orm anois nach síos ar an trá a chuaigh mé, chuig an mbarbaiciú.'

Ní raibh rún aici an oíche a chaitheamh ina hóinseach ag fanacht le Séamas Jim. Shiúil sí anonn go dtí an sconsa. 'Níl cead dul isteach ach amháin ar ghnó,' a dúirt sí go drámatúil in ard a cinn agus í ag léamh an méid a bhí scríofa ar an bhfógra.

'An stopfaidh tú ag béiceadh,' a dúirt Bríd léi. 'Tarraingeoidh tú an baile orainn.'

Tar éis scaithimhín, thuig Caitríona nach raibh an bheirt eile ag tabhairt aon toradh uirthi. Anall léi go dtí an geata arís agus í ag tarraingt na gcos. Chaith sí fúithi ansin agus pus uirthi. Bhí a hintinn ina cíor thuathail. Dá mbeadh a cairde Ruth agus Siobhán anseo.... Ach ní raibh agus ní fheicfeadh sí iad go ceann cúpla lá.

'Éist,' a dúirt Iain go tobann, 'an gcloiseann sibhse é sin?'

Chuir an bheirt chailín cluais orthu féin. Is í an chasacht a chualadar ar dtús. Ansin chonaic siad an solas. Duine ag deargadh a thoitín. Thíos ag bun an chnoic.

'Séamas, cuirfidh mé geall ar bith leat,' a deir Iain. 'Ach amháin … ní raibh a fhios agam go mbíonn sé ag caitheamh.'

Díreach ansin, chualadar an monabhar cainte.

'Más é Séamas atá ann,' a dúirt Bríd. 'Níl sé leis féin.'

Cébí cé a bhí ann, bhí sé ag teacht níos cóngaraí, ag siúl aníos an cosán go barr an chnoic.

'Seo! B'fhearr dúinn dul i bhfolach,' a deir Bríd. 'Ar fhaitíos na bhfaitíos.'

'Chuile sheans gurb é Séamas atá ann,' a dúirt Caitríona.

Ach, mar sin féin, chrom sí síos taobh istigh den chlaí in éineacht leis an mbeirt eile.

'Cé sibh féin?' arsa an glór údarásach. 'Tagaigí amach anseo! Anois láithreach!'

'Ó a dhiabhail!' arsa Bríd de chogar. 'Na gardaí! Tá muid i ngreim!'

'Stop! Sé Séamas atá ann,' a deir Caitríona. 'Nach n-aithním a ghlór.'

'Fuist! Ní cheapfainnse gurb é atá ann,' a dúirt Iain.

'Ná mise ach an oiread,' a deir Bríd.

D'fhanadar cromtha san áit a rabhadar go dtí gur scairteadh an solas isteach sna súile orthu.

'Tá sibh ag briseadh an dlí! Ab amhlaidh nach bhfuil sibh in ann léamh?'

D'éirigh Caitríona ina seasamh de léim.

'Níor bhris muid aon dlí, a Shéamais Jim,' a dúirt sí. 'Bhí siad seo scanraithe agat, ach ná ceap go bhfuil sé chomh héasca sin an dallamullóg a chur ormsa!'

Amach leis an triúr thar an gclaí. Bhí Séamas ag briseadh a chroí ag gáire.

'Déarfainn gur bhain sé sin geit asaibh!' ar seisean. 'Nach ndéanfainn an-gharda!?'

'Níor bhain tú aon gheit asamsa,' a dúirt Caitríona leis. 'Nach raibh a fhios agam láithreach gur tú a bhí ann.'

Ach bhí Iain agus Bríd ag dul in aer. Thosaíodar ag glaoch chuile ainm faoin spéir ar Shéamas. Lad ard láidir ba ea Séamas Jim agus é in ann obair fir a dhéanamh in aois a chúig bliana déag. Chuile sheans a d'fhaigheadh sé bhíodh sé amuigh sa gcurach lena uncail nó sa ngarraí lena sheanathair. B'fhada le Séamas go mbeadh sé críochnaithe leis an scoil, agus bhí rún aige imeacht as an scoil chomh luath agus a bheadh sé sé bliana déag. Theastaigh uaidh jab a fháil ar an mbád farantóireachta a thugadh muintir an oileáin agus cuairteoirí isteach agus amach chuig an mórthír — sin nó ar cheann de na báid iascaigh a bhíodh ag obair amach as calafort Ros an Mhíl.

'Dheara, níl a fhios agam tuige a bhfuil sibh chomh hoibrithe,' a dúirt sé anois. 'Ní raibh ann ach píosa craic.'

'Cébí céard faoin gcraic, cuir as an diabhal de thóirse sin,' arsa Iain. 'D'fheicfeá an solas ar an taobh eile den oileán.'

'Nach thú féin a dúirt go mbeadh tóirse maith uainn?'

Chuir Séamas as an tóirse ar aon chaoi. Chuaigh sé anonn ansin go dtí an áit a raibh Caitríona ina seasamh agus a droim leis an ngeata aici.

'Bhuel, aon scéal?'

'Cé a bhí in éineacht leat?' an freagra a fuair sé. 'D'airigh muid an chaint.'

Ach níor fhreagair Séamas í. D'éirigh an bheirt eile fiosrach ansin.

'Bhuel?' dúirt Iain. 'An bhfuil tú ag dul ag inseacht dúinn? Ach, ar ndóigh, b'fhéidir gur rún é.'

'Tá sé agam!' a deir Bríd. 'In éineacht le duine de na Gaeilgeoirí a bhí tú. Duine de chailíní an Choláiste! Chuirfinn geall ar bith.'

Bhí cúrsa Gaeilge Mhí Iúil faoi lánseol anois san Ionad Pobail. Buachaillí agus cailíní as chuile cheard d'Éirinn tagtha go dtí an t-oileán seo amuigh sa gcuan le feabhas a chur ar a gcuid Gaeilge. Agus d'fhéadfá a rá go mbíonn fáilte rompu ó tharla gur ar an turasóireacht a bhíonn muintir an oileáin ag brath le slí mhaireachtála a bhaint amach. Ach ní hiad na daoine fásta amháin a mbíonn fáilte acu roimh na 'Gaeilgeoirí' mar a thugann siad orthu.

'A dhiabhail,' a dúirt Iain go héadmhar agus é ag tarraingt leadóg spraíúil ar Shéamas. 'Cén chaoi go bhfuil an oiread tóir ag na cailíní ortsa?'

'Seans go mbíonn sé ag bualadh ar na fuinneoga acu san oíche,' a dúirt Bríd, 'ag glaoch amach orthu. Sin é a dhéanann na lads ar fad. Tá Gaeilgeoirí ag comharsan Mhamó, Máire Thomáis. Dúirt sí nach féidir léi néal a chodladh de bharr lads a bheith ag teacht thart san oíche. Tá sí ag caint ar Alsatian a fháil.'

'Alsatian!' a deir Iain. 'Ar airigh tú é sin a Shéamais? Cébí céard a dhéanfas tú, fainic na hAlsatians!'

Bhí Iain agus Bríd síothlaithe ag gáire anois, ach ní raibh focal as Caitríona agus í ag éisteacht leis an gcuid eile ag baint as Shéamas. Bhí sí trína chéile. An bhféadfadh sé go raibh Séamas ag dul in éineacht le duine de na Gaeilgeoirí? Priocaide eicínt anuas as Baile Átha Cliath le 'chaon 'Ó mo Dhia!' aici. Agus dath ar a craiceann nach bhfuair sí ón ngrian. Ach céard faoin téacs a fuair sí féin ar ais ó Shéamas: *Ni raibh me le baca. Rudai eile ag tarlu anocht. Ach ma ta tusa ag dul bei me ann cinnte.*

Ar bhain sí an bhrí chontráilte as an teachtaireacht a tháinig uaidh? Cén bhrí ach an ríméad a bhí uirthi ag an am!

'Bhfuil tú alright, a Chaitríona?' a d'fhiafraigh Séamas di. 'Tá tú an-chiúin anocht.'

Lig sí uirthi féin nár chuala sí é.

'Cén diabhal atá orainn? Seasta anseo ag caint faoi Alsatians!' a dúirt sí. 'Mura bhfuil muid ag dul isteach sa Station rachaidh mise síos chuig an mbarbaiciú. Beidh na lads strainséartha uileag ann.'

'Meastú an mbeidh mo dhuine leis na tattoos ann?' a d'fhiafraigh Bríd di. 'É siúd a bhí ag caint leat sa siopa tráthnóna.'

'Tá mé cinnte go mbeidh.'

'Ná himigh anois, a Chaitríona,' a deir Iain. 'Ó d'fhan tú go dtí seo.'

'Goiligí uaibh mar sin.'

Chuir Séamas ann an tóirse. Tóirse breá a bhí ann, a

raibh solas an-gheal go deo ag teacht as. Dúirt Bríd nach raibh a leithid de thóirse feicthe aici riamh cheana.

'Is le m'uncail é,' a dúirt Séamas. 'Tá sé thar barr. Ní bhfaighidh tú ceann mar é sna siopaí, ach tá siad le fáil ar an idirlíon.'

Chuadar thar an teachín a mbíodh báidín na ngardaí cósta coinnithe ann tráth. Dhreapadar thar an sconsa gan breathnú siar ná aniar acu ar an bhfógra fainice a bhí crochta lena thaobh.

'Dá gcloisfeadh sibh na scéalta atá ag dul thart faoin Station agus faoin láthair seandálaíochta,' a deir Séamas. 'Na scéalta is áiféisí dár airigh tú riamh.'

Ba ghearr go rabhadar ina seasamh sa bpaiste féarach amach ar aghaidh an stáisiúin.

'Anois nach raibh sé sin éasca!' arsa Iain agus é breá sásta leis féin.

Ach mo léan, níor sheas an tsástacht sin i bhfad. Thaispeáin an solas go raibh sconsa eile cúpla slat uathu. Bhí fógra a dúirt TOCHAILT SEANDÁLAÍOCHTA! crochta ar an sconsa seo. Thit an lug ar an lag orthu. Ní hé amháin go raibh an sconsa ard ach bhí taobh amháin de buailte suas leis an stáisiún féin. Ní raibh bearna ar bith idir é agus seanbhallaí cloiche an fhoirgnimh. Sheas an ceathrar ag breathnú suas ar an sconsa miotail.

'Ní bheidh muid in ann a dhul isteach ar an suíomh. Thíos ar an taobh eile tá an sconsa ag dul thar bhruach na haille,' a dúirt Caitríona agus an díomá soiléir ina glór.

'Dá mbeadh rud eicínt againn a ghearrfadh é,' a dúirt Séamas.

'Ach níl,' a deir Iain.

Bhíodar fós ina seasamh ansin nuair thosaigh an bháisteach. Níorbh fhada go raibh sé ina dhíle.

'Rithigí,' arsa Iain. 'Beidh scáth againn istigh sa stáisiún.'

'Foscadh,' a deir Caitríona.

Scairt Séamas an tóirse leis an mbealach a thaispeáint do na cailíní. Ansin thug sé lámh chúnta do Bhríd le dul tríd an bhfuinneog a bhí thart ar cheithre throigh ó thalamh.

'Tá mé féin in ann,' a dúirt Caitríona nuair a shín sé a lámh chuicise. Bhreathnaigh Séamas go grinn uirthi ach níor dhúirt sé tada. Chonaic siad go raibh an-lear seanmhangarae caite thart taobh istigh. Bruscar de chuile chineál. Seanphíosaí adhmaid. Leaca ón díon. Éanacha básaithe. Cannaí beorach agus go leor buidéal briste.

'Bhuel, bhí cóisir nó dhó ann ar aon chaoi,' a deir Iain.

'Cé a thiocfadh anseo le haghaidh cóisire? Tá an áit uafásach,' a dúirt Caitríona. 'Gan trácht ar an mboladh bréan atá ann. Iuch.'

'Níl a fhios agam an bhfuil sé sábháilte a ghabháil isteach,' arsa Bríd. 'Bheadh an oiread rudaí sa mbealach orainn, agus d'fhéadfadh....'

'Níl sé sábháilte!' a dúirt Caitríona a raibh col aici leis an bhfoirgneamh cheana féin. 'Tá an áit seo ag cur

samhnais orm. Ach taobh amuigh de sin uileag braithim
... níl a fhios agam.... Tá sé ar nós go bhfuil duine eicínt
ag faire orainn.'

'An raibh a fhios agatsa go gcreideann an bhean seo i
dtaibhsí?' a d'fhiafraigh Iain de Shéamas.

'M'anam go bhfuil daoine nach í a chreideann iontu,'
a dúirt Séamas.

Cé gurbh fhearr le Caitríona a bheith in áit ar bith eile
sa domhan, shocraigh sí go raibh a dóthain ráite aici. Má
bhí an triúr eile sásta dul isteach, ní loicfeadh sise. Níor
mhaith léi go gceapfadh aon duine, go háirithe Séamas,
gur cladhaire a bhí inti. Shiúil an ceathrar go deas, réidh,
cúramach tríd an bhfoirgneamh, trí sheanstáisiún tréig-
the an gharda cósta. Scanraigh siad na préacháin a
d'éirigh san aer agus 'chaon ghráig ghlórach acu. Chonaic
siad an caonach a bhí ag fás ar na ballaí cloiche agus na
poill a bhí sa síleáil adhmaid thuas os a gcionn. Ba léir
gur theach dhá stór a bhí anseo, cé go raibh an staighre
suas go dtí an dara hurlár bainte as. Anseo agus ansiúd
d'fhéadfá na réalta a fheiceáil, áit a raibh na leaca séidte
de dhíon an fhoirgnimh.

'Déarfainn go dtógfadh sé níos mó ná cúpla punt caoi
a chur ar an áit seo,' a deir Iain.

'Seans go mbeadh cúpla milliún ó dhuine,' a dúirt
Séamas. 'Ach is dóigh go bhfuil na millionaires ar fad
bailithe leo as an tír.'

Nuair a chuaigh siad amach an doras a bhí díreach os

comhair na fuinneoige thuig siad go raibh an foirgneamh roinnte ina thrí chuid. Trí theach a bhí ann. Ní raibh ceangal ar bith eatarthu ón taobh istigh ach bhí a bhealach féin isteach ag 'chaon cheann acu ón taobh ó dheas. Theastaigh ó Chaitríona a fháil amach tuige a raibh áit chomh mór ag teastáil ó na gardaí cósta.

'Agus céard go díreach a bhídís a dhéanamh ar aon chaoi? Na gardaí cósta seo?'

'Bhuel,' a deir Séamas, 'is póilíní nó gardaí a bhí iontu, ag obair don Sasanach. Bhídís ina gcónaí anseo sa stáisiún agus na mná is na gasúir in éineacht leo. An bhfuil an ceart agam, a Iain?'

'Tá. Is ag coinneáil súile ar an bhfarraige agus ar a raibh ag tarlú timpeall na gcladach a bhídís. Bhíodh go leor smuigleála ar siúl thart anseo ag an am.'

'Ní raibh a fhios agam é sin!' a dúirt Caitríona.

'Ná agamsa,' a deir Séamas. 'Smuigléirí! Cé a chreidfeadh é! Anseo in Oileán beag na Leice. Anois céard deir tú le Gaillimh!'

Shocraíodar fanacht sa tríú teach nó go ndéanfadh sé aiteall. Leag Séamas an tóirse ar an talamh agus shocraigh sé é sa gcaoi is go mbeadh feiceáil mhaith acu timpeall an tseomra. Shiúil siad thart ansin. Aisteach go leor is beag bruscar a bhí anseo le hais mar a bhí sa gcuid eile den fhoirgneamh. Suas leis an mballa i ngar don fhuinneog bhí píosa de fhráma leapan. Fuaireadar ar fad caidéis dó seo. Fráma bán iarainn a bhí ann agus an ceann fós air. Cruth áirse a bhí ar an bhfráma cinn a raibh go leor ornáidí air.

'A mhac go deo!' a deir Caitríona 'Chonaic mé rudaí ar nós é seo ar an teilifís. Is antique é!'

Dúirt Bríd gur mhór an t-iontas go raibh an leaba fágtha ann ach nach raibh aon tuairisc ar an gcuid eile den troscán.

'Ach, níl ann ach cuid de leaba,' a dúirt Séamas a bhí á scrúdú go grinn. 'Tá an píosa iarainn a bheadh thíos ag bun na leapan ar iarraidh. Agus tá ceann de na cosa briste de. Ní thabharfaidís leaba bhriste leo.'

'Tá sí agam!' a deir Iain agus chroch sé barra iarainn suas san aer. 'Cois na leapan. A Mhac go deo, dá mbuailfí duine leis seo….'

'As ucht Dé ort! Ná bí dhá chraitheadh mar sin,' a dúirt Bríd leis. 'D'fhéadfá duine againn a ghortú.'

Theastaigh ó Chaitríona a fháil amach cé chomh sean agus a bhí an Station.

'Fiafraigh d'Iain. Tá sé ar nós encyclopaedia,' a deir Bríd.

'Níl mé cinnte cén uair a tógadh an foirgneamh. Ach tá a fhios agam gur imigh na gardaí cósta as an tír i naoi déag fiche is a … rud eicínt. Nuair a bunaíodh an Saorstát. Caithfidh mé taighde a dhéanamh nuair a rachaidh mé abhaile go Gaillimh.'

Is amhlaidh a bhí teach saoire ag muintir Iain in Oileán na Leice. Chaitheadh sé féin agus a dheartháir an chuid is mó den samhradh san oileán an fhad is a bhíodh a dtuismitheoirí ag obair leo istigh sa chathair.

'Ach a Iain,' arsa Séamas, 'mura bhfuil an áit seo tógtha ach le — déarfaidh muid — céad go leith bliain, tuige a bhfuil na seandálaithe anseo?'

'Ní sa stáisiún féin atá suim acu ach i ráth nó lios atá taobh amuigh ansin.'

'Móta a thugann muide air sin,' a deir Caitríona.

'Bhuel is sa móta atá suim ag na seandálaithe.'

'Muise, nach iontach í an fhoghlaim,' a deir Séamas agus chroith sé lámh le Iain. 'Tá mé siúráilte go mbeidh tú i do léachtóir ollscoile lá eicínt, bail ó Dhia ort. An tOllamh Iain Mac Giolla Easpaig.'

Chaith Séamas faoi ansin agus chuir sé a dhroim leis an mballa.

'Bheadh sé chomh maith daoibh uileag caitheamh fúibh,' a dúirt sé leis an gcuid eile. 'Tá sé fós ina dhoirteadh.'

Chuir Bríd strainc uirthi féin agus í ag breathnú síos.

'Ach tá an t-urlár lofa salach. Millfidh mé mo ghúna.'

'Mise chomh maith,' a dúirt Caitríona. 'Agus gan é ach ceannaithe agam.'

B'fhearr le Caitríona ná tada dul abhaile. Ach mo léan! B'fhacthas di nach mórán fonn baile a bhí ar an triúr eile. Bhain Séamas a sheaicéad de.

'Seo,' a dúirt sé le Bríd. 'Féadfaidh tú suí air seo.'

Agus leag sé an seaicéad ar an urlár díreach lena thaobh. Shuigh Bríd síos.

'Nach iontach anois,' arsa Caitríona ina hintinn féin, 'nach domsa a thug sé a sheaicéad!'

Ach dar ndóigh ní dhéarfadh sí é seo amach. Ní dhéarfadh sí é ar ór ná ar airgead.

'Dá bhfeicfeadh Mamó anois thú,' a dúirt sí le Bríd. 'Ní mó ná sásta a bheadh sí.'

'Nach bhfuil a fhios agam go maith! Thabharfadh sí leathmharú orm.'

Chomh luath agus dhún an scoil le haghaidh saoire an tsamhraidh, tháinig Bríd Ní Neachtain anuas as Baile Átha Cliath.

'Déanfaidh sé leas duit,' a dúirt a tuismitheoirí léi 'an samhradh a chaitheamh le do sheanmháthair agus do chol ceathracha in áit atá chomh folláin agus chomh sábháilte le hOileán na Leice.'

Bhí Mamó, nó Caitlín Liaimín mar ab fhearr aithne uirthi, sásta an comhluadar a bheith aici. Ní hin le rá nach raibh sí géar ar Bhríd. Leag sí síos liosta fada de rialacha di an chéad lá! Agus d'fhág sí an riail ba mheasa go dtí ar deireadh.

'Caithfidh tú a bheith istigh ag leathuair tar éis a deich chuile oíche, a Bhríd. An gcloiseann tú anois mé? Is cuma sa mí-ádh céard a dhéanfas an chuid eile acu. Feictear dhomsa go bhfuil i bhfad an iomarca cead a gcinn ag an dream óg thart anseo. Tá sin.'

Bhí Séamas ag scairteadh an tsolais anonn ar an bhfuinneog anois.

''Bhfuil a fhios agaibh céard é féin,' a dúirt sé go tobann. 'Ach dá ngabhfadh muid amach tríd an bhfuinneog sin thall, bheadh muid ar an taobh eile den sconsa ard úd. Nach mbeadh?'

'Cén fáth nar chuimhnigh mise air sin!' arsa Iain. 'Tabhair dom an solas go bhfeice mé.'

Ach ní mó ná sásta a bhí Bríd leis seo.

'Tá an solas sin an-láidir, a Iain. Má thugann daoine faoi deara é beidh muid i dtrioblóid. Bhuel, beidh mise i dtrioblóid, cébí céard fúibhse.'

Chuir sí i gcuimhne d'Iain gur in oileán beag nach raibh ann ach fiche mhíle cearnach a bhí sé. Áit a raibh aithne ag chuile dhuine ar a chéile agus nach gcorródh cuileog i ngan fhios dóibh. Ní raibh sa bpríomhbhaile, áit a rabhadar anois ach an dá scoil, an séipéal, an t-ollmhargadh, oifigí an Choiste Forbartha, an tIonad Pobail, agus an t-óstán. Agus caifé Cois Trá nach n-osclaíodh ach sa samhradh.

Bhuail cantal Caitríona agus í ag éisteacht le Bríd. Cén fáth a gcaithfeadh a col ceathar a bheith i gcónaí ag tarraingt aird uirthi féin? Agus breathnaigh uirthi anois, suite ansin ar a sáimhín só le Séamas!

'Dá mbeinn chomh scanraithe is atá tusa, a Bhríd,' a dúirt sí léi, 'd'fhanfainn ag baile san oíche. Ach má bheirtear féin orainn tá a fhios agat go breá gur ormsa a chuirfidh siad an milleán.'

'Cén fáth a gcuirfidís an milleán ortsa?'

'Beidh siad a rá gurb amhlaidh a tharraing mise amach thú. Ceapann siad uileag gur aingilín thusa ach go bhfuil mise chomh fiáin le pocaide gabhair.'

'Seafóid.'

'Nach bhfuil mé a rá leat.'

Níor thaitin sé le Iain an bheirt chailín a bheith ag sáraíocht.

'Chomh fiáin le pocaide gabhair,' a dúirt sé. 'Nach deas an leagan cainte é sin. Pocaide gabhair! Pocaide gabhair.'

Thosaigh sé ag déanamh amhrán as le súil is go n-éireodh na cailíní as an gcocaireacht. Agus, d'oibrigh a phlean. Taobh istigh de nóiméad bhí siad ar fad maraithe ag gáire faoi.

'Tú féin is do phocaide gabhair!' a dúirt Caitríona. 'Nach bhféadfá amhrán ceart a chasadh?'

'Faraor, níl aon sean-nós agam. Ach céard faoin bPoc ar Buile?'

'Ná bígí ag tabhairt aon ugach dhó,' arsa Séamas. 'Tá glór ar nós préacháin aige sin.'

'Más in é a bhfuil de mheas orm ní bhacfaidh mé,' a dúirt Iain agus anonn leis chomh fada leis an bhfuinneog.

Lean Caitríona Iain. Nuair a scairt sé an solas amach chonaic siad go raibh an ceart ag Séamas! Bhí an báire leo! Cé go raibh cuid mhaith driseacha agus neantóg taobh amuigh, ní raibh claí ná sconsa idir an foirgneamh agus an áit a raibh na seandálaithe ag cartadh!

'A Mhac go deo! Ní gá dúinn a dhul ag dreapadh ar chor ar bith,' a dúirt Caitríona. 'Siúlaigí uaibh!'

B'fhada léi go mbeadh sí imithe as an bhfoirgneamh. Sméid sí ar an mbeirt a bhí fós ina suí. Ach ba léir nach raibh fonn ar cheachtar acusan corraí.

'Ach beidh muid báite, a Chaitríona má théann muid amach sa díle seo!' a dúirt Bríd.

'Fanfaidh muid go ndéanfaidh sé aiteall,' a deir Séamas.

'Dheara, ní leáfar muid. Gabh i leith uaibh.'

Chuir sé iontas ar Chaitríona nach raibh an dream eile chomh faiteach agus a bhí sí féin, fiú Bríd nach raibh ag iarraidh dul isteach sa stáisiún beag ná mór. An raibh baint aige seo le Séamas? An raibh rud eicínt ag dul ar aghaidh eatarthu? Bhí Iain tagtha anall ón bhfuinneog anois agus é ag póirseáil timpeall an tseomra. Ag scairteadh an tsolais isteach sna cúinní agus suas an simléar. Theastaigh ó Shéamas a fháil amach céard a bhí sé a dhéanamh.

'Spáráil an tóirse,' a dúirt sé. 'Níl aon leictreachas anseo againn má ritheann....'

'Ach cheap mé gur airigh mé daoine ag caint.'

'Dheara stop! Níl aon duine anseo ach muid féin.'

'Níl a fhios agam faoi sin.' Choinnigh sé air ag luainneáil thart.

Chuaigh Caitríona anonn anois go dtí an áit a raibh Séamas agus Bríd ina suí. Sheas sí cúpla soicind gan tada a rá ach í ag breathnú síos ar an mbeirt. An bhféadfadh sé gur ar Bhríd a bhí súil ag Séamas? Ab amhlaidh go raibh sé ag baint úsáide aisti féin? Bhí a fhios aige go mbíodh Bríd ag coinneáil an chois aici. Murach an diabhal de Chúrsa Eachtraíochta sin is iad Ruth agus Siobhán a bheadh sa gcomhluadar anocht. Ní bheadh tada ráite aici le Bríd faoin socrú a bhí acu. Thabharfadh Caitríona a dhá súil ar a bheith in ann labhairt le Ruth agus Siobhán. D'airigh sí uaithi iad. Ach aon uair ar ghlaoigh ní raibh caint acu ar thada ach ar kayaks agus ar dhreapadóireacht ballaí. Bhraith Caitríona duairceas nár bhraith sí riamh ina saol cheana. Ab é an áit a bhí ag cur gruaim uirthi? Nó briseadh croí?

'An bhfuil a fhios agat céard a dhéanfas tú,' a dúirt sí le Séamas ar nós nach raibh mairg uirthi. 'Inis scéal dúinn. Ceann de na scéalta sin a d'airigh tú anocht.'

'Dheara, níl a fhios agam. Ní bheadh a fhios agam cá dtosóinn.'

'Inis dúinn faoin uaigh,' a dúirt Iain. 'Agus an corp gan cloigeann.'

'Ú! Ú!' a dúirt Bríd. 'Is aoibhinn liomsa scéalta mar sin. Cuir as an tóirse! Ansin beidh muid ar nós an dream sa Blair Witch Project!'

'Maith an fear, a Shéamais,' arsa Iain. 'Chuala mé gur an-seanchaí thú.'

'Ó, tá sé iontach ag cumadh,' a deir Caitríona, agus searbhas ina glór. 'Thar cionn ar fad.'

Sciorr na focla as a béal i ngan fhios di. Chomh luath agus a bhí siad ráite aici bhí aiféala uirthi. Ach mar a deireadh a hathair léi go minic 'Ní bhíonn breith ar an gcloch ó chaitear í.' Chuaigh sí anonn go dtí an taobh eile den seomra, san áit a raibh Iain suite.

Ghéill Séamas ar deireadh. D'inis sé dóibh ar dtús go raibh duine de na comharsain, Máirtín Phaidí, fostaithe le cúnamh a thabhairt do na seandálaithe. D'fhiafraigh sé de Mháirtín an tráthnóna sin ar fritheadh corp ar an suíomh. D'fhiafraigh sé de freisin an raibh taibhse feicthe sa stáisiún.

'Níl a fhios agam aon cheo faoi thaibhsí,' a dúirt Máirtín le Séamas Jim, 'ach tá cnámha faighte ceart go leor. Nó go ndéanfar scrúdú orthu ní bheidh a fhios cé chomh sean agus atá siad.'

Ach ansin dúirt Máirtín Phaidí rud ar chuir Séamas an-spéis ann. Dúirt sé gurbh é an Station an áit dheireanach a dteastódh uaidh féin a bheith ag obair ann.

'B'fhearr do dhuine mura mbeadh plé ar bith aige leis an Station céanna. Ná leis an móta taobh amuigh,' a dúirt sé.

'Duine eile a chreideann i dtaibhsí,' a deir Iain.

'Tá caint ann freisin,' a dúirt Séamas, ar nós nár cuireadh isteach air, 'faoi stolladh gaoithe a tháinig gan aon choinne chomh luath agus a thosaigh siad ag tochailt sa móta. "Cuaifeach" a thug fir na háite air. Nuair a cheistigh mé Máirtín faoi seo níor dhúirt sé hum ná ham.

Cheapfá go raibh sé bodhar. Agus chloisfeadh an fear céanna an féar ag fás.'

Bhí ciúnas ann ar feadh scaithimh. Iad ar fad ag iarraidh brí eicínt a bhaint as a raibh cloiste acu.

'Is dóigh go bhfuil rud eicínt ag baint leis an áit a bhfuil siad ag cartadh ann,' a deir Bríd ansin.

'Meastú an bhfuil mallacht ar an áit?' arsa Caitríona.

Lig Iain racht gháire as.

'Mallacht?' ar seisean. 'Ní chreideann aon duine i mallachtaí níos mó. Baineann siad le saol atá imithe. Nó leis na scannáin uafáis.'

Theastaigh ó Chaitríona an scéal a athrú anois. Bhí an chaint seo ar fad faoi thaibhsí agus faoi choirp ag cur as di.

'Meastú an bhfaighinnse páirt i gceann de na scannáin sin, a Iain?' ar sise.

Ansin lig sí scréach aisti a bhuafadh Oscar do réalta scannáin ar bith i Hollywood.

'Ar airigh sibhse riamh faoin ngarda cósta a d'imigh agus nach bhfaca aon duine riamh ina dhiaidh sin?' a d'fhiafraigh Bríd den triúr eile nuair a shocraíodar síos arís.

'Nach maith go raibh a fhios agatsa faoi sin!' a dúirt Séamas, 'Tar éis nach mbíonn tú anseo ach píosa den samhradh!'

'Nach bhfuil mé ag éisteacht le scéalta Mhamó ó bhí mé beag bídeach.'

'D'airigh mise,' a dúirt Séamas, 'go raibh sé ag déanamh garraí taobh amuigh den Station. Chonaic go leor daoine é ag cartadh ann. Ach ansin lá arna mhárach bhí sé imithe gan tásc gan tuairisc!'

'Meastú céard a tharla dó?' a deir Caitríona.

'Cuirfidh mé geall leat gur mharaigh duine eicínt é,' a deir Iain. 'Tá a fhios agaibh an ghráin a bhí ag muintir na hÉireann ar na Sasanaigh.'

'Má tá an ceart agat,' a deir Séamas, 'd'fhéadfadh go bhfuil a chorp fós taobh amuigh ansin.'

Bhreathnaíodar ar fad anonn ar an bhfuinneog.

'Ach b'fhéidir gurb iad a chuid cnámha atá faighte anois ag na seandálaithe,' arsa Caitríona.

'Éist! Ar airigh sibh é sin?' a dúirt Iain.

'Ná habair go bhfuil duine eicínt ag teacht,' a dúirt Brid.

'Fuist.'

D'éisteadar. Go grinn.

Bhí torann ann ceart go leor. Trup. Ar nós coiscéimeanna. Thuas os a gcionn. Anonn is anall. Anonn is anall. Ní raibh gig ná geaig as an gceathrar. Ach ansin stop an torann ar fad. Stop sé chomh tobann céanna agus a thosaigh sé.

'Ní fhéadfadh sé gur duine a bhí ann,' arsa Séamas ansin. 'Cén chaoi a ngabhfá suas agus gan aon staighre ann?'

'Na diabhail de phréacháin,' a deir Caitríona, cé nár chreid sí féin é. 'Tá na céadta acu ann.'

'Tá an áit seo ag cur rud orm,' a dúirt Bríd. 'An

mbraitheann sibhse go bhfuil duine eicínt ag faire orainn?'

'Dúirt mise é sin i bhfad ó shin,' arsa Caitríona. 'Ach is amhlaidh a bhí sibh ag spochadh asam.'

Ní raibh aon duine acu ar a suaimhneas anois. Thosaigh siad ag réiteach le himeacht.

'Tá mé ag ceapadh go bhfuil sé ag déanamh aiteall ar aon chaoi,' a deir Séamas.

'An raibh a fhios ag do Mhamó tada eile faoin ngarda cósta?' arsa Iain le Bríd agus iad ag bailiú a gcuid balcaisí.

'Bhuel, dúirt sí go raibh sé pósta ach nár chreid a bhean go raibh aon cheo dona tarlaithe dó. Bhíodh sí suite sa bhfuinneog agus lampa aici. Ag fanacht go dtiocfadh sé abhaile.'

'B'fhéidir gurb as sin a tháinig scéal an taibhse,' a dúirt Séamas. 'An raibh a fhios ag do sheanmháthair céard a tharla do bhean an gharda cósta? Cheapfá go mbeadh comhluadar nua ag teacht isteach sa teach agus go gcaithfeadh sí imeacht.'

'D'fhiafraigh mé di, ach dúirt sí gurbh fhearr gan a bheith ag caint ar "rudaí mar sin". Níl a fhios agam....'

Cuireadh isteach ar an gcaint nuair a lig Caitríona scréach aisti, sian uafáis a bhainfeadh an t-anam asat.

'Go sábhála mac Dé sinn!' a dúirt sí. 'Tá rud eicínt ag corraí thall ansin. Thall sa gcúinne.'

Rug sí ar an tóirse a bhí leagtha ar an urlár, ach bhí a compánaigh ag cur na gcosa uathu.

'Ná tosaigh ar an ealaín sin arís, a Chaitríona. As ucht Dé ort.'

'Tú féin is do chuid drámaíochta. Sa Taibhdhearc ba chóra duit a bheith.'

Bhí a croí ina béal ag Caitríona. 'Ach cén chaoi nach bhfeiceann sibh é? Tá sé ag corraí.'

'Céard atá ag corraí?'

'An leaba!'

Thosaigh sí ag útamáil, ag iarraidh an tóirse a chur ann. Ach bhí an oiread creathadh ina láimh is gur sciorr an tóirse uaithi. Síos ar an urlár cloiche.

'Tá súil le Dia agam nach bhfuil sé briste agat,' a dúirt Séamas. Thriail sé an tóirse a chuir ann. Ach, mo léan, ní raibh ag teacht as anois ach ga beag solais. Scairt sé an solas seo isteach sa gcúinne, san áit a raibh Caitríona ag síneadh a méire. Ní raibh faic le feiceáil.

'Tá solas agamsa ar an bhfón póca,' a deir Iain.

'Agus agamsa,' arsa Bríd.

Tháinig an dá sholas ann ag an am céanna, agus chonaic siad go raibh an ceart ag Caitríona! Bhí an seanfhráma leapan, ar thugadar suntas dó níos túisce, ag éirí den talamh. Bhí sé ag éirí den talamh uaidh féin! Léim an ceathrar ina seasamh agus a gcroí ina mbéal acu. Ritheadar de sciotán amach as stáisiún an gharda cósta, ar nós dá mbeadh an diabhal é féin sna sála orthu.

Rith an ceathrar déagóir síos an cnoc ar cos in airde agus a gcroí ina mbéal acu. Nuair a shroicheadar an bóthar stopadar ag an solas a bhí amach ar aghaidh tigh Mhaidhc. Bhreathnaíodar ar a chéile gan focal a rá, giorra anála ar chuile dhuine acu.

Bhí Caitríona ag fanacht go labhródh duine eicínt faoin rud a bhí feicthe acu. Ach nuair a labhair Iain bhí ar nós nach raibh ann ach gnáthoíche. Cheapfá nach raibh tada tarlaithe!

'An siúlfaidh muid abhaile leis na cailíní, a Shéamais?' a dúirt sé.

'Níl soilse ar bith ar an mbóthar sin acusan.'

Is ar éigin gur cheart bóthar a thabhairt ar an gcosán féarach a bheadh le siúl ag na cailíní.

'Níl aon ghá, a lads,' a dúirt Bríd láithreach. 'Níl i bhfad le dhul againn agus tá seanchleachtadh againn ar an mbealach faoin am seo.'

'Oíche mhaith mar sin, a chailíní,' arsa Séamas. 'Feicfidh muid amárach sibh.'

Agus thug sé féin agus Iain a n-aghaidh ar an mbóthar nua a bhí ag ceangal Bhaile na Leice le bailte eile an oileáin.

'An bhfuil tusa dúr nó rud eicínt?' a dúirt Caitríona le Bríd chomh luath agus a bhí na lads imithe.

'Céard atá i gceist agat? Ar dhúirt mé rud eicínt nár cheart dom a rá?'

Rith sé le Caitríona ansin nár thuig Bríd céard a bhí ag dul ar aghaidh idir í féin agus Séamas. Bhí sí sórt soineanta. Mar a bhíonn chuile dhuine ag trí bliana déag.

'Ó! Tada. Is cuma.'

Níor labhraíodar an chuid eile den bhealach. Shroich siad teach Mhamó ar dtús. Teachín deas ceann tuí a bhí ag Caitlín Liaimín. Thóg sí mac agus iníon sa teach seo, Sorcha, máthair Chaitríona, agus Maitiú, athair Bhríd. Faoin am ar phós Sorcha agus Peadar Ó Flatharta bhí Caitlín ina baintreach cheana féin agus theastaigh ón lánúin óg píosa chur as an seanteach agus cur fúthú ann. Nuair nár éirigh leo cead pleanála a fháil thógadar bungaló nua dóibh féin píosa beag suas an bóthar ó theach Chaitlín. Ní mó ná sásta a bhí Caitríona anois nuair a chonaic sí soilse an tí. Bhí chuile shúil aici go mbeadh a tuismitheoirí imithe a chodladh faoin am a dtiocfadh sí abhaile. Cé nach rabhadar baol ar chomh dian le tuismitheoirí eile, bhí sí ceaptha a bheith istigh roimh mheán oíche.

Ach ní fhéadfadh sí imeacht abhaile gan an oíche sin a phlé le Bríd.

Bhí a col ceathrar ag oscailt an gheata chomh ciúin agus a d'fhéad sí nuair a dúirt Caitríona: 'A Bhríd, faoin rud a tharla sa stáisiún ar ball....'

D'iompaigh Bríd timpeall. 'Tá a fhios agat, a Chaitríona, nár thaitin an áit liomsa ón soicind a ndeachaigh muid isteach ann,' a dúirt sí. 'Bhí rud eicínt faoi ... ach ní fhéadfainn é a mhíniú ceart.'

'Bhraith mise mar a chéile.'

'Caithfidh sé go bhfuil taibhsí ann.'

'Má tá a leithidí ann ar chor a bith.'

'Ach cén míniú eile atá ar an rud a tharla leis an leaba? Agus an torann a bhí ann níos túisce?'

'Níl a fhios agam…'

'Fiafraigh tusa de Mhamó faoi. Agus faoin móta taobh amuigh de. Faigh amach an bhfuil aon rud aisteach tarlaithe ann, nó feicthe ann. Más taibhse a bhí ansin anocht bí cinnte nach muide an chéad dream a bhraith é.'

'Maith go leor.'

'Ach fainic an ligfeá ort féin go raibh muid istigh ann.'

'Níl mé dúr, tá fhios agat.'

'Tá a fhios agam nach bhfuil. Tá brón orm gur dhúirt mé é sin níos túisce.'

'Tá sé alright. Oíche mhaith.'

Caibidil 2

Oileán na Leice
Mí Iúil 1910

Bhí gairdín ó Veronica. Gairdín, a dúirt sí, a mbeadh bláthanna de chuile chineál ag fás ann—agus luibheanna. Gheobhadh sí na síolta í féin i mBaile Átha Luain. Agus ní thógfadh sé i bhfad ar na bláthanna agus na luibheanna fás. Bláthanna gleoite agus luibheanna cumhra a d'ardódh a croí nuair nach raibh le feiceáil aici timpeall uirthi ach leaca liatha agus farraigí cáite. Agus, dar ndóigh, an bháisteach a thit gan stop an t-earrach áirithe sin.

'Áit dhuairc ghruama,' a thug sí ar Stáisiún an Gharda Cósta agus go deimhin ar Oileán na Leice féin an chéad lá riamh ar leag sí cois ann. Alltacht uirthi go mbeadh trí bliana le caitheamh aici ina leithide d'áit. Áit ar ghlac sí col leis ó thús.

'Bíodh foighid agat, a stór,' a dúirt James léi an lá sin. 'Níl sé chomh dona sin ar fad. Rachaidh tú ina chleachtadh, de réir a chéile. Tá mé cinnte de.'

Ach, mo léan, ní dheachaigh sí ina chleachtadh. A mhalairt ar fad a tharla. Ach ar cheart a bheith ag súil go ngabhadh sí ina chleachtadh? Bean óg a tógadh i mbaile mór? A raibh só agus compord an tsaoil aici ón lá ar rugadh í?

Ach anois bhí gairdín uaithi. Gairdín a mbeadh bláth-anna de chuile chineál ag fás ann — agus luibheanna. Gheobhadh sí an gairdín. Gheobhadh sí mian a croí. Dhéanfadh James cinnte de go bhfaigheadh. Thosódh sé láithreach agus bheadh an gairdín críochnaithe aige sula dtiocfadh sí abhaile. Bheadh an gairdín ba deise agus ba chumhra in iarthar na hÉireann ag Veronica Thompson! Dhéanfadh James an méid sin agus i bhfad níos mó dá mba ghá le hardú croí a thabhairt dá bhean chéile. Le gáire a fheiceáil ar a béal arís agus an sonas in áit an bhróin ina súile gorma.

Leaca aolchloiche a bhí thart ar an stáisiún féin. Ach díreach os a chomhair amach bhí píosa talún nach raibh aon úsáid á bhaint as ag muintir an bhaile ná ag na gardaí cósta féin. Is anseo a dhéanfadh sé an gairdín. Ach ní raibh James i bhfad ag tochailt nó gur thuig sé go raibh an talamh lán le driseacha agus luifearnach agus go raibh an fód an-ghann go deo ann. Anuas air sin bhí sceach gheal ina cadhain aonraic díreach glan san áit a raibh rún aige an phlásóg a chuir. Ní raibh bealach ar bith go mbeadh fear cathrach ar nós James in ann an talamh garbh seo a ghlanadh leis féin. Bheadh lámh chúnta uaidh. Ach bhí a fhios aige cá bhfaigheadh sé an cúnamh sin. Chuirfeadh sé Andrew, mac a chomharsan síos le glaoch ar Thomás Ó Dónaill. Bhí a fhios aige go raibh a shaol caite ag Tomás ag plé le hobair den tsórt seo. Ach níos tábhachtaí fós bhí sé i measc an dornán beag de bhunú na háite a bhíodh sásta aon bhaint a bheith acu leis na gardaí cósta. Fear breá láidir, a raibh lán an tí de ghasúir aige, a bhí i dTomás Ó Dónaill. Bhí sé beo bocht, é ina chónaí i dteachín beag bídeach ar cheann thoir na trá. Teach nach raibh a dhath níos mó ná scioból. Is é Tomás a bheadh buíoch beannachtach as an luach saothair a thabharfadh James dó ag deireadh an lae.

Sea, a dúirt James leis féin agus é ag fanacht leis an Dónallach, ní bheadh an bheirt acu i bhfad ar chor ar bith ag réiteach na talún. B'fhéidir go mbeadh sé críochnaithe acu roimh thráthnóna. Amárach thógfaidís claí deas cloiche timpeall ar an áit. Timpeall ar Ghairdín Veronica.

Ach ní raibh an scéal chomh simplí sin, faraor. Ba bheag nár thit an t-anam as Tomás Ó Dónaill nuair a chonaic sé an áit a raibh an garda cósta ag cartadh. Bhain sé de a chaipín speice agus choisric sé é féin.

'Dia idir sinn agus an anachain! Ní fhéadfaidh tú an móta a chartadh,' a dúirt sé agus creathadh ina ghlór. 'Tá mallacht ar an áit sin. Bhí riamh sa saol. Agus nach bhfeiceann tú an sceach gheal…?'

Bhreathnaigh James ar an móta a raibh an fear ag

caint faoi. Bhreathnaigh sé ar na clocha caola arda a bhí ina seasamh ar a gcorr timpeall ar an móta. Chonaic sé go raibh tuilleadh clocha cosúil leo tite ar a dtaobh sa bhféar.

Ansin bhreathnaigh sé ar na leaca loma a bhí timpeall an stáisiúin. Lig sé osna as.

'Ach inis dom, cén rogha eile atá agam? Níl mo dhóthain fóid in aon áit eile. Agus ní féidir garraí a dhéanamh ar leaca loma. An féidir? Nó an bhfuil plean eicínt eile agatsa?'

Nuair nár fhreagair Tomás é chrom James síos agus thosaigh sé ag cartadh ar a mhíle dícheall. Má bhí faitíos ar Thomás cúnamh a thabhairt dó de bharr pisreoga Oileán na Leice dhéanfadh sé an jab leis féin. Thógfadh sé níos faide air. Sin cinnte. Ach dhéanfadh sé é. Nuair a bhreathnaigh sé arís bhí Tomás Ó Dónaill bailithe leis gan a dhath eile a rá.

D'fhan James nóiméad agus é ag faire ar an bhfear a bhí ag imeacht ar cosa in airde uaidh síos le fána an chnoic. Ansin, rug sé ar a spáid agus thosaigh sé ag obair.

'Bíodh an diabhal aige,' a dúirt sé. 'É féin agus a chuid pisreoga. Déanfaidh mé liom féin é. Fiú má bhriseann sé mo chnámha.'

Bhí gairdín ó Veronica Thompson. Agus gheobhadh sí é.

Caibidil 3

Oileán na Leice
Mí Iúil 2012

'B'aoibhinn liom an jab atá ag Antaine,' a dúirt Iain. 'B'fhéidir go gcuirfidh mé isteach air nuair a éireoidh seisean as.'

Suite ag bord taobh amuigh de Chaifé Cois Trá a bhí an ceathrar lá arna mhárach agus iad ag breathnú síos ar an trá.

'Agus cén uair é sin?' a d'fhiafraigh Bríd de.

'Ó tar éis cúpla bliain eile, is dóigh,' a deir Iain. 'Nuair a bheas an chéim críochnaithe aige.'

Taobh amuigh dá bhothán a bhí an garda tarrthála, Antaine Mac Giolla Easpaig, agus é ag coinneáil súil ghéar ar ghrúpa déagóirí a bhí ag tumadóireacht de na hailltreacha. Bhí sé ag faire freisin ar na páistí beaga a bhí ag lapadaíl i mbéal na taoille agus gach liú astu.

Bhí Caifé Cois Trá an-chruógach. Turasóirí lae ba mhó a bhí ann agus iad i scuaine fada ag fanacht go ndéanfaí freastal orthu. Páirceáilte díreach taobh amuigh bhí na mionbhusanna a thabharfadh na turasóirí céanna go dtí an dún agus an teampall stairiúil a bhí ar an taobh thiar den oileán. Bhí an ghrian ag scoilteadh na gcloch. Cé gurbh aoibhinn an radharc iad ba léir gur bheag an dul chun cinn a bhí á dhéanamh ag na gleoiteoga a bhí ar a mbealach trasna an chuain.

'Mo chuimhne, ar éirigh leat a dhul isteach i ngan fhios do Mhamó?' a d'fhiafraigh Caitríona de Bhríd.

'D'éirigh. Nuair a thógann sí na "tablets" nua is deacair í a dhúiseacht. Cén chaoi a ndeachaigh ortsa?'

'Bhí Daid fós ina shuí. Thosaigh sé ag cur dhe faoi chomh deireanach agus a bhí mé. Ach dúirt mé leis go raibh céilí mór ann.'

Shiúil slua de scoláirí an choláiste tharstu ar an mbealach chuig an trá.

'Conas atá sibh?' a deir cailín amháin leo go gealgháireach.

'An í sin í? An cailín ó aréir?' a fhiafraigh Iain de Shéamais.

'Dheara … ní raibh aon chailín i gceist. Is amhlaidh a bhí mé ag castáil le mo Dhaid. Tháinig sé isteach ar bhád an tráthnóna.'

Trí bliana roimhe sin scar tuismitheoirí Shéamais ó chéile. Tamall ina dhiaidh sin d'fhág a athair an t-oileán agus chuir sé faoi ar an tír mhór.

'Agus tuige nár dhúirt tú é sin?' arsa Bríd. 'Agus muide ag ceapadh….'

'Bhuel bhí mé cineál trína chéile ag an am. Bhí scéal nuaí aige dom. Scéala a bhain siar asam. Agus ní raibh fonn orm a bheith ag caint faoi.'

'Tá súil agam nach bhfuil sé tinn ná aon cheo,' a deir Caitríona.

'Dheara, níl. Ach tá a fhios agat gur dhún an monarchan a raibh sé ag obair ann istigh i nGaillimh. Tá sé as obair ó shin. Tá jabanna gann, an chaoi a bhfuil an tír le píosa. Bhuel, ar aon chaoi, tá sé tar éis jab a fháil anois.'

'Nach bhfuil sé sin thar cionn!' arsa Bríd.

'Thall i gCeanada atá an jab.'

'I gCeanada? Ó a dhiabhail,' a deir Caitríona. 'Is ar éigean a fheicfeas tú é.'

Chuaigh Caitríona anonn agus shuigh sí le thaobh Shéamais. Bhí an-trua aici dó. Bhí sé dona go leor dá mbeadh do thuismitheoirí imithe óna chéile. Ní fhéadfadh sí féin a leithid a shamhlú. Ach ansin duine acu a bheith chomh fada as láthair le Ceanada!

Ní raibh focal as aon duine ar feadh scaithimh, iad ar fad ag cuimhneamh ar an gcás a raibh Séamas ann. Is é Séamas féin a labhair ar deireadh.

'Caithfidh mise a bheith ag baint orlach as. Sin é carr m'uncail atá tar éis a dhul síos an bóthar,' a dúirt sé. 'Gheall mé dó go ngabhfainn ag tarraing potaí in éineacht leis. Tá praghas maith ar an ngliomach faoi láthair.' D'éirigh sé ina sheasamh.

'Ach sula n-imeoidh mé inis an méid seo dom,' a dúirt

sé. 'Céard go díreach a chonaic sibhse aréir sa Station? Níor chodail mise néal ag cuimhneamh air.'

Níor fhreagair aon duine é go ceann tamaill. B'fhearr leo a bheith ag caint faoi rud ar bith sa domhan ach é. Ba é Iain a d'fhreagair, ar deireadh.

'Bhuel, shíl mise ag an am go raibh an leaba ag corraí, ach tá mé ag déanamh amach anois nach raibh. Nuair a chuimhníonn tú air, bhí muid tar éis an oíche a chaitheamh ag caint faoi choirp agus faoi thaibhsí, agus ansin thosaigh Caitríona ar a cuid drámaíochta. Ní hiontas ar bith go raibh muid ag feiceáil rudaí. Rudaí nach raibh ann! "Mass hysteria" a thugtar air sin, tá a fhios agaibh.'

Nuair a bhí a chuid ráite ag Iain ní raibh focal as aon duine ach iad ag cuimhneamh orthu féin. Ansin, labhair Bríd.

'Bhuel, chomh fada is a bhaineann sé liomsa ní aon "mass hysteria" a bhí ann,' a dúirt sise. 'D'airigh mé duine ag siúl thuas os ár gcionn. Tá mé cinnte de. Agus ón áit a raibh mé suite bhí an leaba le feiceáil go soiléir. Agus bhí sí ag éirí san aer. Mhionnóinn sa gcúirt é. Nach bhfaca tusa é chomh maith a Shéamais?'

'Chonaic,' a deir Séamas agus shuigh sé síos arís.

Níor aontaigh Iain lena chairde beag ná mór. Thosaigh sé ag cur de. 'An bhfuil sibh ag rá liom go gcreideann sibh i dtaibhsí?'

Bhraith Caitríona go raibh sé thar am aici a ladar a chuir isteach.

'Ní raibh mise siúráilte riamh an raibh a leithid de rud ann le taibhse,' a dúirt sí. 'Ach tar éis an méid a tharla aréir caithfidh mé a rá go gcreidim iontu. Tá a fhios againn ar fad nach bhféadfadh duine siúl thuas staighre gan a mhuineál a bhriseadh. Agus chonaic mé an leaba ag ardú den urlár. Ach taobh amuigh de sin uileag, fiú sular tharla tada, bhí an áit ag cur rud orm. Bhraith mé i gcaitheamh an achair go raibh duine eicínt ag faire orainn.'

'Céard sa mí-ádh atá oraibh?' a deir Iain agus é ag breathnú ó dhuine go duine orthu. Ba léir go raibh déistin ceart air. 'Ní chreidim é seo. An bhfuil sibh uileag craiceáilte! As bhur meabhair?'

Níor thug an chuid eile aon aird air. Dúirt Bríd gur chreid sí féin go raibh baint ag bean an gharda cósta leis an rud uileag.

'Nach iontach tráthúil,' ar sise, 'gur thosaigh an leaba ag corraí díreach agus muid ag caint fúithi. Cheapfainnse gurb í a bhí ann. Dála an scéal d'fhiafraigh mé de Mhamó ar maidin faoin ngarda cósta agus a bhean. Dúirt sí gur Thompson an sloinne a bhí orthu. Agus go raibh an bhean go hálainn. Ba chuimhin lena máthair í. Bhíodh sí chomh gléasta i gcónaí, a dúirt sí. Ar nós banríona. Ach sin é an méid a fuair mé uaithi. Ach tá mise ag ceapadh go raibh Bean Thompson ag iarraidh teachtaireacht a thabhairt dúinn. Ag iarraidh orainn rud eicínt a dhéanamh di, b'fhéidir.'

'Nó ag iarraidh muid a dhíbirt?' a deir Caitríona. 'Ní

bheadh a fhios agat. B'fhéidir nár thaitin léi muid a bheith ann.'

Bhí Iain ag breathnú ar na cailíní ar nós go raibh dhá chloigeann an duine orthu. 'Níor chuala mé a leithid de sheafóid riamh i mo shaol!' a dúirt sé.

'Bhuel tabhair tusa míniú eicínt eile air mar sin,' a dúirt Caitríona.

'Agus ná bac le do "mass hysteria" an babhta seo.'

'Caithfidh sé go bhfuil freagra simplí ciallmhar ar an rud ar fad,' a dúirt Iain.

'Ar nós?' arsa Bríd.

'Ar nós go raibh duine eicínt ag diabhlaíocht orainn. B'fhéidir, cuid de na lads. An dream a chuir an geall liom. Ag pointe amháin bhí mé cinnte glan gur airigh mé daoine ag caint. Ach, arís ar ais, b'fhéidir gur duine agaibhse a bhí ag pleidhcíocht. Bhí muid suite sa dorchadas ag an am agus d'fhéadfadh duine ar bith agaibh....'

'Tá súil agam nach chugamsa atá tú ag caitheamh!' a dúirt Caitríona, agus í ag éirí beagán teasaí.

'Tóg go réidh anois é. Níor chuir mé ainm ar aon duine. Níl mé ach ag iarraidh freagra. Freagra a bhfuil réasún eicínt leis.'

'Bhuel, má tá tú ag ceapadh gur mise a bhí....' D'éirigh Caitríona ina seasamh. 'Má tá tú ag ceapadh,' a dúirt sí, 'gur mise a bhí....'

'Breathnaigí anois,' a dúirt Séamas go deas réidh. 'Cén

mhaith dúinn a bheith ag achrann? B'fhéidir go bhfuil
an ceart ag Iain agus go raibh daoine seachas muid féin
ann. Ní bheadh aon mhuinín agam as na lads sin a chuir
an geall leat, a Iain. Nó, arís ar ais, d'fhéadfadh go raibh
duine eicínt eile ar fad ag éisteacht libhse nuair a bhí sibh
taobh amuigh den gheata níos túisce san oíche. Tá a fhios
againn ar fad go bhfuil cluasa ag na claíocha thart anseo.'
Thosaigh an fón ag glaoch ina phóca. 'M'uncail, is dóigh.
Beidh sé ag déanamh iontais cá bhfuil mé.'

Sular imigh Séamas uathu bhí sé socraithe go rachadh
an ceathrar acu suas go dtí an stáisiún uair amháin eile.
Chasfaidís le chéile taobh amuigh den stáisiún ag a haon
déag an oíche chéanna.

Caibidil 4

Oileán na Leice, Co. na Gaillimhe
Mí Iúil 1910

Bhí imní ag teacht ar Veronica. Bhraith sí an tocht ina scornach. An bhféadfadh sé go raibh an ceart ag a deirfiúr?

'Caithfidh tú dul abhaile, a Veronica,' a dúirt Liz i nguth údarásach an mhúinteora. 'Is cuma cén ghráin atá agat ar an áit, nach raibh a fhios agat nuair a phós tú garda cósta gurb eo é an sórt saoil a bheadh agat? Nár thuig tú go maith gur in áiteanna feannta iargúlta ar chósta na hÉireann atá stáisiúin na ngardaí cósta?'

Nuair nár dhúirt Veronica tada choinnigh sí uirthi.

'Tá tú ag déanamh an iomarca trua duit féin. Cuimhnigh an t-ádh atá ort fear céile chomh macánta agus chomh dílis le James a bheith agat. Fear a bhfuil an oiread sin cion aige ort. Ach ní mhairfidh an cion sin go deo, a Veronica. Lá fada nó gearr éireoidh sé tuirseach de bhean nach mbíonn riamh sásta, cuma céard a dhéanann sé di. Bean a bhíonn i gcónaí ag gearán is ag clamhsán! Bean a éalaíonn go dtí an baile mór chuile sheans a fhaigheann sí!'

Ghoill sé ar Veronica go mbeadh Liz chomh mí-fhoighdeach léi, go raibh a laghad tuisceana ag a deirfiúr ar an gcruachás a raibh sí ann. Ach thuig sí gur bhain cuid den mhífhoighid le gur fhan sí chomh fada an babhta seo. Fiú nuair a bhíodar óg d'éiríodh eatarthu dá gcaithfidís an iomarca ama i gcuideachta a chéile. Chaithfeadh go raibh Liz tinn ag éisteacht léi ag cur di, ag caint faoin drogall a bhí uirthi dul ar ais go hOileán na Leice. Ach bhí Veronica cinnte d'aon rud amháin. Bhí dul amú ar a deirfiúr faoi James. Ní raibh a fear céile ag éirí tuirseach di. B'ise a ghrá geal. Bhreathnódh sé amach di go lá a bháis. Nach in é a gheall sé di an lá ar pósadh iad bliain go leith roimhe sin?

Ach anois bhí imní uirthi. Mhéadaigh an tocht ina scornach. Ní raibh sé ar an gcéibh ag fanacht leis an mbád. Ní raibh sé roimpi mar a bhí socraithe acu. An raibh an ceart ag Liz? Ar éirigh sé tuirseach den ghearán is den chlamhsán? Tuirseach de na turais ar fad go dtí an baile mór?

Bhí a cloigeann chomh tógtha leis na smaointe seo is nach bhfaca sí go raibh an ministéir Reverend John Harding ag déanamh uirthi agus ropadh faoi. Bhí a comharsa béal dorais Ruth Somerville ina chuideachta.

'An dtiocfaidh tú in éineacht linne, a Veronica,' a dúirt

John Harding sul má bhí seans ag Veronica beannú dóibh. Bhreathnaigh sí ina timpeall. 'Ach cá bhfuil James? Dúirt sé go mbeadh sé anseo!'

Sí Ruth a labhair an babhta seo. 'Tá an-lear bagáiste agat!' a dúirt sí gan an cheist a cuireadh a fhreagairt. 'Tá súil agam go mbeidh ár ndóthain spáis againn.'

Nuair a bhí an bagáiste socraithe sa 'trap' acu shuíodar isteach. Thug Veronica faoi deara nach raibh an bheirt a bhí léi ar a gcompoird agus bhí a fhios aici ina croí istigh go raibh rud eicínt tarlaithe. D'fhiafraigh sí díobh faoi James arís.

'Tá faitíos orm, a Veronica, go bhfuil drochscéala againn duit,' a dúirt John Harding ansin.

Labhair sé go ciúin séimh.

'Drochscéala? Cén sórt drochscéala?' a d'fhiafraigh Veronica agus sceon ina croí.

'Bhuel, baineann sé le James. Tá sé … tá sé ar iarraidh.'

'Ar iarraidh? Ní thuigim.'

'Níl sé feicthe ag aon duine le dhá lá. Ó thráthnóna Dé Luain,' a dúirt Ruth.

Thit an drioll ar an dreall ar Veronica. Bhí an ceart ag Liz. Bhí a fear céile bailithe leis. Phléasc sí amach ag caoineadh.

'Ar fhág sé litir nó nóta dom?' a dúirt sí tar éis tamaill agus í ag triomú na ndeor, 'ag rá cá raibh sé ag dul?'

'Ní thuigeann tú, a stór,' a dúirt Ruth go cineálta agus chuir sí a lámh timpeall uirthi. 'Tá James imithe. Imithe gan tásc ná tuairisc. Níl a fhios ag aon duine céard atá tarlaithe dhó.'

'Ach ag an am céanna caithfidh muid a bheith dóchasach agus ár muinín a chur i nDia na Glóire,' arsa an ministéir.

Ach ní raibh Veronica ag éisteacht. Bhí a hintinn in áit eicínt eile. Tar éis tamaill labhair sí. 'Bhí an ceart ag Liz,' a dúirt sí go mall, ciúin ar nós dá mbeadh sí i dtámhnéal. 'Tá sé bailithe leis. Agus orm féin atá an mhilleán.'

Ansin chuir sí a ceann fúithi agus chaoin sí go géar is go cráite.

Chomh luath agus a shroicheadar stáisiún an gharda cósta cuireadh glaoch ar an mbanaltra. Chaith Nurse Henderson tamall maith le Veronica ina seomra codlata.

'An créatúir!' a dúirt sí le Ruth nuair a tháinig sí amach ar deireadh. 'Tá sí siúráilte glan go dtiocfaidh sé ar ais. Ní fhéadfá a mhalairt a chur ina luí uirthi. Ach ón méid atá cloiste agamsa le cúpla lá níl aon duine eile ródhóchasach. Thug mé instealladh di a chuirfeas a chodladh í. Ach níor cheart í a fhágáil léi féin.'

Gheall Ruth go bhfanfadh sí féin le Veronica go maidin.

'Tá na gasúir sách sean anois le breathnú amach dhóibh féin,' a dúirt sí le Nurse Henderson. 'Ach an dtiocfaidh tú ar ais ar maidin?'

Gheall an bhanaltra go dtiocfadh.

Chodail Veronica Thompson go sámh. Bhí go leor brionglóidí aici. Brionglóidí aoibhne. Brionglóidí faoin tráthnóna samhraidh ar casadh James Thompson uirthi den chéad uair.

Brionglóidí faoin maidin earraigh ar pósadh iad.

Bhí sé ina mhaidin agus an ghrian ag éirí nuair a dhúisigh sí.

'An bhfaighidh tú deoch uisce dom, a stór?' ar sise go codlatach gan a cuid súile a oscailt. 'Tá mo chloigeann ag scoilteadh.'

'Seo dhuit.' Baineadh siar as Veronica nuair a chonaic sí Ruth Somerville cois na leapan aici.

'Céard atá tusa ag déanamh anseo, a Ruth? Cá bhfuil James?'

Ach sul má bhí seans ag Ruth focal a rá, chuimhnigh Veronica ar a raibh tarlaithe an lá roimhe sin. An turas fada as Baile Átha Luain. An turas ar an mbád. Ansin John Hastings agus Ruth ag fanacht léi ar an gcéibh.

'Bhailigh sé leis,' a dúirt sí le Ruth go dobrónach. 'Ach níl an oiread sin imní orm. Tiocfaidh sé ar ais. Tá a fhios agam go dtiocfaidh. Nach mise a ghrá geal. Bhreathnódh sé amach dom go lá a bháis. Nach in é a gheall sé dom an lá ar pósadh muid?'

Amuigh ar an bhfarraige bhí long cabhlaigh le feiceáil ag cuardach an chuain. Bhí curacha agus báid bheaga le feiceáil sa sunda agus istigh faoin aill ag Cloch Chormaic. Istigh ar an talamh shiúil na póilíní cnoic is gleannta

Oileán na Leice. I mbearaic Oileán na Leice cheistigh an sáirsint na daoine a rabhthas in amhras fúthu. I stáisiún an gharda cósta d'oscail Veronica Thompson na málaí taistil a bhí stóráilte aici san áiléar.

Anois tá sé ina thráthnóna agus an ghrian ag dul faoi. Tá sé in am éirí as an gcuardach. Tá sé in am na daoine a bhí á gceistiú a scaoileadh abhaile.

I stáisiún an gharda cósta tógann Veronica Thompson amach a gúna pósta. Gléasann sí í féin agus réitíonn sí a cuid gruaige. Faigheann sí an lampa agus siúlann sí go dtí an fhuinneog. Suíonn sí ar leic na fuinneoige agus tosaíonn sí ag canadh:

I know my love by his way of walking,
And I know my love by his way of talking,
And l know my love dressed in a suit of blue;
And if my love leaves me what will I do?

Caibidil 5

Oileán na Leice
Mí Iúil 2012

Bhí Caitríona chomh sásta le rí agus í ar a bealach síos chuig an trá. Agus cén fáth nach mbeadh? Nach raibh sí ag castáil le Séamas! Bhí 'date' aici leis ar deireadh.

Chuir sí glaoch air agus í ar a bealach abhaile ón gcaifé níos túisce sa lá. Chomh luath in Éirinn agus a bhí sí léi féin. Ní raibh mórán cuimhnimh déanta aici roimh ré ar céard go díreach a déarfadh sí leis!

'Tá sé uafásach go bhfuil do Dhaid ag imeacht as an tír,' an chéad rud a dúirt sí.

'Tá a fhios agam. Ach ag an am céanna caithfidh muid cuimhneamh nach raibh sé ar an dól riamh cheana. Ghoill sé air nach raibh sé ag saothrú. Agus an chaoi a bhfuil rudaí sa tír anois….'

'Cuimhnigh air! Beidh tú in ann a dhul anonn ar cuairt aige. Beidh tú in ann a dhul go Ceanada ar do chuid laethanta saoire!'

'Sin é a bhí sé féin a rá.'

'Tá a fhios agat…bhí mé ag déanamh iontais…tá a fhios agat an chaoi go mbíonn barbaiciú thíos ar an trá na hoícheanta seo. Bhí mé … bhí mé ag ceapadh, le haghaidh an chraic, b'fhéidir go ngabhfadh an bheirt againn….'

'Tá tú ag iarraidh a dhul ann?'

'Tá. Sula gcasfaidh muid leis an mbeirt eile.'

'An dtiocfaidh mé chuig an teach agat?'

'Ná déan. Feicfidh mé thíos ann thú. Timpeall leath-uair tar éis a naoi?'

'Togha.'

Nach í a bhí sásta anois go raibh sé de mhisneach aici glaoch air. Chuirfeadh sí téacs sciobtha chuig a cairde Ruth agus Siobhán. Nach iad a bheadh bródúil aisti!

'Haigh a Chaitríona. Cá'il tusa ag dul?'

'Ó! a Iain, ní fhaca mé ag teacht thú! Síos ar an trá atá mé ag dul.'

'Chuig an mbarbaiciú?'

'Sea.'

'Gabhfaidh mé síos in éineacht leat. Ní raibh mé ag déanamh tada ach ag caitheamh an ama.'

Drochrath air mar scéal, a dúirt Caitríona ina hintinn féin. Dar ndóigh d'fhéadfadh sí a rá le Iain go raibh sí ag castáil le Séamas. Ní raibh aon rud dá stopadh. Ach ar chaoi eicínt bhí cineál leisce uirthi. 'Maith go leor,' a dúirt sí.

Ar an taobh eile den tseanchéibh a bhí an barbaiciú

ar siúl. Áit chúlráideach a bhí roghnaithe ag na déagóirí. Bhí boghlaeirí móra idir iad féin agus an bóthar agus an chéibh ag tabhairt foscadh dóibh ar an taobh eile. I ngar don áit a raibh an dream óg bailithe le chéile bhí curacha agus báid bheaga caite go fánach ar an duirling, píosa aníos ón lán mara, a bhformhór lofa de bharr easpa úsáide. Bhí seanphotaí gliomach agus giuirléidí eile iascaireachta thart ann chomh maith, ag taispeáint don saol mór a laghad is a bhí muintir Oileán na Leice ag brath ar an iascaireacht na laethanta seo.

'Tabhair dom do lámh,' a dúirt Iain le Caitríona. 'Ní chreidfeá chomh sciorrach agus atá na leaca.'

Bhí siad ag trasnú bhalla cosanta na céibhe ag déanamh ar an áit a raibh an dream óg bailithe. Shín Iain amach a lámh. Ach sula raibh seans ag Caitríona greim a fháil uirthi sciorr sí ar an gcaonach agus thit sí. Thit sí anuas sa mullach ar Iain.

'Tá súil agam nach bhfuil tú gortaithe. Ar tháinig tú anuas ar do rosta?' a dúirt Iain nuair a bhíodar ina seasamh arís. 'Taispeáin dom í.'

'Níl tada orm. Goile uait.'

Bhí Séamas tugtha faoi deara ag Caitríona nuair a bhí sí fós thuas ar bhalla na céibhe. Ach anois, agus iad ag teannadh leis an áit, ní raibh sí in ann é a fheiceáil níos mó. Bhí cuid mhaith daoine ann a d'aithin sí áfach. Chonaic sí lads agus cailíní a bhí ar scoil in éineacht léi. Bhí daoine óga ann le canúintí Sasanacha, iad tagtha ar cuairt arís i mbliana chuig a gcuid gaolta. Agus d'aithin sí na déagóirí ón taobh amuigh a mbíodh tithe tógtha ar cíos ag a muintir san oileán chuile shamhradh.

'Ó, breathnaigh cé atá anseo,' a deir Iain.

Bhí Séamas suite ar an ngaineamh ag caint le cailín nach raibh feicthe ag Caitríona cheana. Chuaigh sí anonn chucu.

'Gheobhaidh mé rud eicínt le n-ithe duit,' a deir Séamas leis an gcailín strainséartha.

D'éirigh sé agus shiúil sé thar Chaitríona. Cheapfá nach bhfaca sé ar chor ar bith í! Lean sí é.

'Céard atá ort?'

'Ní raibh a fhios agam go raibh tú féin agus Iain chomh mór le chéile.'

'Céard atá i gceist agat?'

'Níl mé caoch. Bhí mé ag breathnú ar an mbeirt agaibh thall ansin. Thall ag an gcéibh. Cén fhad atá sé seo ag dul ar aghaidh?'

'Ach níl aon rud ag dul ar aghaidh! Is trí thimpiste a casadh an bheirt againn ar a chéile.'

'Breathnaigh, a Chaitríona. Féadfaidh tú a dhul in éineacht le duine ar bith a thograíonn tú. Féadfaidh sin. Is cuma sa diabhal liomsa, ach ná bí ag déanamh leibide díom.'

Agus bhí sé imithe.

Thuas ag an stáisiún níos deireanaí, oíche lán gealaí a bhí ann, gan an oiread is clabhta sa spéir.

'Ab in é a bhfuil ann?' a deir Iain agus é ag breathnú isteach sa bpoll.

'Is cosúil gurb ea,' a dúirt Caitríona go diomúch. 'Poll sa talamh! Poll folamh.'

Poll éadoimhin thart ar sé troigh ar leithead a bhí ann. Ba léir ón gcréafóig a bhí carntha ar na taobhanna gur le deireanas a cartaíodh an poll seo taobh amuigh den stáisiún.

'Is dóigh gur ansin a fuair siad an corp,' arsa Iain.

'Ó! Seans gurb ea.'

Níor thaitin le Caitríona a bheith ag cuimhneamh air seo. Theann sí amach go maith ón bpoll.

'Meastú cá'il an móta a raibh an oiread cainte faoi?' a deir Iain.'

'An bhfeiceann tú thall ansin? Tá cineál dromáin ann agus sceach gheal ag fás....'

'Céard é dromán?'

'Sórt cnocáin chréafóige. Agus breathnaigh, tá clocha curtha ina seasamh timpeall air.'

Bhí trí cinn de chlocha caola arda ina seasamh ar a gcorr timpeall ar an dromán. Bhí tuilleadh cloch cosúil leo tite ar a dtaobh agus iad beagnach clúdaithe ag an bhféar.

Shiúil Caitríona agus Iain chomh fada leis an áit.

'An bhfuil a fhios agat,' a dúirt Iain, 'ar an turas scoile anuraidh chuaigh muide go dtí ionad seandálaíochta thuas i Sligeach. Tá sé seo an-chosúil le cuid de na séad-chomharthaí a chonaic muid ann.'

'Ach tá an oiread rudaí mar seo ar fud an oileáin! Tá siad le feiceáil chuile áit. Bíonn strainsearaí i gcónaí ag fiafraí fúthu. Agus ag tógáil pictiúirí díobh. Ach cheap mé go mbeadh rud eicínt níos iontaí le feiceáil againn anseo.'

D'iompaigh sí thart le dul isteach sa stáisiún arís.

'Bhí sé de cheart againn a bheith fanta thíos ag an mbarbaiciú.'

'Ach ní raibh mórán craic ann....'

'Bhuel, ní mórán craic atá anseo ach an oiread. Tá mise le dul abhaile. Ach cá'il an bheirt eile? Ní féidir liom imeacht gan Bríd. Cheap mé go rabhadar díreach taobh thiar dhínn agus muid ag teacht amach.'

Thosaigh siad ag déanamh a mbealach ar ais go dtí an stáisiún ach ní raibh aon tuairisc ar an mbeirt eile.

'Tá mise ag ceapadh,' a deir Iain, 'go bhfuil súil ag Séamas ar Bhríd. Ar thug tú faoi deara aréir nuair a bhí muid ar foscadh ón mbáisteach....'

Bhraith Caitríona tocht ina scornach. Ní raibh na deora i bhfad uaithi.

'Céard é sin?' a dúirt Iain go tobann. 'An bhfuil duine eicínt ag gabháil fhoinn? An t-amhrán sin ... cén t-ainm atá air? Tá mé ag ceapadh gur amhrán é a bhíodh ag na Corrs. Nó b'fhéidir an grúpa eile sin....'

'*I know my love by his way of walking,*
And I know my love by his way of talking',
Is ansin a chualadar an bhéic. Uaill uafáis a chuirfeadh an

croí trasna ionat. Rith Caitríona agus Iain chomh héasca in Éirinn agus a bhíodar in ann go dtí fuinneog an stáisiúin. Ba bheag nár bhuaileadar faoi Shéamas a bhí ar a bhealach amach. Bhí fón i láimh amháin aige agus an tóirse mór sa láimh eile. Chomh luath agus a chonaic Séamas iad thosaigh sruth focal ag teacht as a bhéal ach bhí sé ag dul rite le ceachtar acu é a thuiscint.

'Tá Bríd ... tá sí ... go dona ... an-dona ... rinne mé iarracht ... ach ní oibreoidh sé....'

'Fan agat féin! Níl a fhios againn céard atá tú ag rá, a Shéamais. Tosaigh arís,' a dúirt Iain.

'Tá Bríd gortaithe!' a deir Séamas agus é ag tabhairt na bhfocal leis níos fearr an babhta seo. 'Tá sí gortaithe go dona. Ach ní oibreoidh an fón dom.'

'Gortaithe, cén chaoi gortaithe? Céard a tharla di?' a d'fhiafraigh Caitríona de.

'Níl a fhios agam. Níl a fhios am céard a tharla di. Ach caithfidh muid fios a chur ar dhochtúir. Go beo! An bhfuil fón ag ceachtar agaibhse?'

Bhí múráil allais anois le Séamas.

Tharraing Caitríona amach a fón póca. Bhí craitheadh ina láimh.

'999 ab ea?'

'B'fhearr i bhfad glaoch ar dhochtúir an oileáin,' a dúirt Iain. Thóg sé an fón ó Chaitríona. 'Níor cheart Bríd a fhágáil istigh ansin léi féin. Gabh tusa isteach chuici, a Chaitríona agus déanfaidh mise an glaoch. Tabhair di an tóirse, a Shéamais. Tá Antaine ag obair san óstán anocht. Beidh sé in ann uimhir an dochtúra a fháil dúinn.'

'Ach nach mbeidh an t-óstán dúnta anois?' a deir Séamas. 'Tá sé an-deireanach.'

'Beidh an dream atá ag freastal fós ann — ag glanadh suas.'

Bhí Caitríona istigh agus í ar a glúine le taobh Bhríd sula raibh an glaoch curtha tríd ag Iain.

'A Bhríd!' a dúirt sí agus impí ina glór. 'Labhair liom a Bhríd. Abair rud eicínt.'

Bhí seans fós ann go raibh dul amú ar Shéamas. B'fhéidir go n-osclódh á col ceathrar a súile agus go ndéarfadh sí nach raibh sí ach ag pleidhcíocht. Ach mo léan ba ghearr gur thuig Caitríona go raibh an ceart ag Séamas. Bhí Bríd gortaithe go dona. Ní raibh sea ná seoladh inti. Ach bhí sí fós ag tarraingt a hanáil. Ar éigean. Ní raibh Caitríona cinnte céard a bhí tú ceaptha a dhéanamh i gcás mar seo. Bhí a fhios aici ceart go leor nach raibh tú ceaptha an t-othar a chorraí. Agus go raibh tú ceaptha an duine a choinneáil te. Ach bhí sifil uirthi le teann faitís agus níor chuimhin léi aon rud eile. Bhí sí ag guí le Dia nach mbeadh an dochtúir i bhfad ag teacht, faitíos a croí uirthi go bhfaigheadh Bríd bás sínte anseo ar na leaca fuara sula dtiocfadh aon duine i gcabhair orthu! Bhain sí di a seaicéad agus leag sí anuas ar Bhríd é. Síos léi ar a glúine arís agus chuir sí a lámha timpeall uirthi.

'Beidh tú ceart go leor, a Bhríd,' a dúirt sí. 'Tá an dochtúir ag teacht. Ní bheidh sé i bhfad anois.'

D'fhan Caitríona san áit a raibh sí nuair a tháing Iain isteach.

'D'éirigh liom dul tríd,' a dúirt sé. 'Is gearr go mbeidh siad anseo. Chuaigh Séamas anonn ag an ngeata le castáil leo.'

Níor chorraigh Caitríona as an áit a raibh sí fiú nuair a chuala sí an gliúra gleára taobh amuigh.

Is í an bhanaltra a bhí tagtha agus Antaine Mac Giolla Easpaig agus bainisteoir an óstáin in éineacht léi. Bhí scéala curtha chuig an dochtúir, a dúirt an bhanaltra, agus bhí sé anois ag tiomáint anall ón taobh eile den oileán. Scrúdaigh an bhanaltra Bríd, ansin chuir ina luí go compórdach í le baill éadaigh faoina cloigeann agus faoina guaillí. Bhí a fhios ag an mbanaltra, gan comhairle ó dhochtúir ar bith go raibh drochbhail ar an gcailín.

'Caithfear an t-othar seo a thabhairt chuig ospidéal láithreach,' a dúirt sí leis an dochtúir ar an bhfón. 'Tá sé práinneach. Tá an héileacaptar uainn. Ní féidir a bheith ag fanacht leis an mbád tarrthála. Fuair sí drochbhuille sa gcloigeann agus tá go leor fola caillte aici.'

Mhínigh sí don dochtúir chomh maith gur in áit an-iargúlta a bhíodar. Chaithfeadh sé féin páirceáil ag bun an bhóthair agus siúl aníos an cnoc.

Tá an dochtúir ag glaoch ar an héileacaptar,' a dúirt an bhanaltra leis an gcuid eile nuair a bhí sí críochnaithe ag caint ar an bhfón. 'Le cúnamh Dé ní bheidh sí i bhfad ag teacht.'

Bhraith Caitríona go raibh chuile nóiméad a chaith siad ag fanacht ar nós leathuaire. Ach léim a croí nuair a tháinig an dochtúir agus nuair a d'inis sé dóibh go raibh an héileacaptar ar a bealach cheana féin agus go mbeadh sí in ann tuirlingt sa ngarraí taobh thiar den stáisiún. Ach ina dhiaidh sin is drochscéala a bhí aige.

'Tá faitíos orm,' a dúirt sé tar éis dó Bríd a scrúdú, 'nach bhfuil ann ach go bhfuil sí ag stracadh léi. Ceapaim go bhfuil a blaosc briste.'

D'fhiafraigh an dochtúir ansin an raibh muintir Bhríd curtha ar an eolas. An raibh siad ar a mbealach chuig an stáisiún?

'Ní as an oileán í,' a dúirt Caitríona leis.

'Agus cá bhfuil a tuismitheoirí?'

'I mBaile Átha Cliath. Is ag a Mamó, Caitlín Liaimín a bhíonn sí ag fanacht.'

'An bhfuil uimhir agat dise?'

'Tá, ach ... bheadh sí ina codladh anois agus ní aireodh sí an fón.'

'Ach an bhfuil gaolta eile ag Bríd anseo? Duine a rachadh in éineacht léi go dtí an t-ospidéal.'

'Nach col ceathrar leatsa í Bríd?' a dúirt an bhanaltra le Caitríona. 'Ba cheart glaoch ar do thuismitheoirí. Labhróidh mise leo, más maith leat.'

Cé go raibh Caitríona an-drogallach, b'fhearr léi féin

an glaoch a dhéanamh. Níor thug sí freagra ar bith ar na ceisteanna.

'Cén chaoi…? Cén fáth…? Cén duine…?' a chuir a hathair uirthi nuair a d'fhreagair sé an fón.

I gcúpla abairt d'inis sí dó cá rabhadar agus céard a bhí tarlaithe. Nuair a bhí an glaoch déanta aici chrom sí le labhairt le Bríd arís.

'Beidh tú ceart go leor, a Bhríd,' a dúirt sí léi. 'Tá an héileacaptar ag teacht. Ní bheadh sé i bhfad anois go mbeaidh tú san ospidéal.'

Iarradh ar Antaine Mac Giolla Easpaig dul anonn go dtí an geata le tuismitheoirí Chaitríona a threorú isteach. Ordaíodh don triúr déagóir fanacht san áit a rabhadar. Chuir Caitríona a cheann fúithí nuair a tháinig a tuismitheoirí isteach sa stáisiún. Ní fhéadfadh sí breathnú san éadan ar cheachtar acu. Nuair a chonaic Sorcha Uí Fhlatharta an bhail a bhí ar Bhríd thosaigh na deora ag sileadh léi. Bhraith Caitríona níos measa ná riamh.

Is ina dhiaidh sin agus iad ag fanacht leis an héileacaptar a thosaigh na daoine fásta ag ceistiú an dream óg. Céard go díreach a tharla do Bhríd an chéad cheist a bhí acu. Cén chaoi go díreach ar gortaíodh í? Dúirt Iain nach raibh a fhios aige féin, go raibh sé taobh amuigh in éineacht le Caitríona nuair a tharla an timpiste. D'aontaigh Caitríona leis.

'Ní fhaca ceachtar againne é ag tarlú. Ní raibh a fhios againn tada nó gur tháinig Séamas amach chugainn.'

D'fhiafraigh an bhanaltra díobh céard sa mí-ádh a bhíodar ag déanamh ina leithid d'áit? Ag an tráth sin d'oíche? Agus theastaigh uaithi a fháil amach an raibh siad ag ól. Ba í Caitríona a d'fhreagair an cheist áirithe seo.

'Ní raibh muid ag ól. Ní raibh aon duine againn ag ól. Ní raibh ann ach go raibh chuile dhuine san oileán ag caint faoin Station agus faoi na seandálaithe agus theastaigh uainn é a fheiceáil dúinn féin. Sin é an méid.'

Shocraigh sí gurbh fhearr di gan aon rud a rá faoin eachtra a tharla sa stáisiún an oíche roimhe sin. Bhreathnaigh chuile dhuine ar Shéamas ansin.

'Is amhlaidh a thit sí,' a dúirt seisean. Thosaigh sé ag insint a leagan féin den rud a tharla. D'inis sé é go muiníneach, staidéarach. 'Bhí mé féin agus Bríd ag siúl anonn go dtí an fhuinneog sin thall. Bhí Iain agus Caitríona imithe amach cheana féin, ag an áit a raibh na seandálaithe ag cartadh ann. Bhí an tóirse agamsa agus bhí mé ag siúl chun tosaigh ar Bhríd. Bhí mé díreach ag an bhfuinneog nuair a lig Bríd béic aisti.'

Nuair a bhreathnaigh sé timpeall, a dúirt Séamas, bhí Bríd tite siar ar chúl a cinn. Cheap sé ar dtús gur ag méiseáil a bhí sí. Ach níor fhreagair sí nuair a labhair sé léi. Ansin chonaic sé go raibh fuil ag teacht as cúl a cinn agus go raibh drochshnua uirthi.

'Bhí fhios agam ansin go raibh sí gortaithe go dona,' a deir sé. 'Thriáil mé glaoch ar 999 ach ní raibh aon chomhartha agam taobh istigh anseo. Rith mé amach ansin go bhfaighinn fón ón mbeirt eile agus bhí siadsan ag teacht isteach i mo choinne.'

'An bhfuil sibh cinnte dearfá nach raibh aon duine eile anseo seachas an ceathrar agaibh féin?' a deir Sorcha, máthair Chaitríona, nuair a bhí a scéal féin insithe ag Séamas.

'Ní fhaca mise aon duine taobh istigh agus bhí tóirse maith agam,' a dúirt Séamas.

'Dá mbeadh aon duine taobh amuigh d'fheicfinnse é,' a deir Iain. 'Bhí sé an-gheal.'

'Bhí,' arsa Caitríona. 'Bhí sé chomh geal leis an lá.'

Ní raibh smid as aon duine ar feadh scaithimh. Bhraithfeá biorán ag titim. Ach thug Caitríona faoi deara an chaoi a raibh na daoine fásta ag breathnú ar a chéile. Ba léir go rabhadar amhrasach. An-amhrasach.

'Ba cheart glaoch ar na gardaí,' a dúirt an dochtúir.

D'aontaigh an dream eile leis. Bhraith Caitríona an t-ualach ar a croí níos troime ná riamh.

Leathuair ón am ar cuireadh scéala chuici thuirling an héileacaptar tarrthála sa ngarraí taobh thiar de sheanstáisiún an gharda cósta. Bhí an grúpa a bhí ag fanacht go foighdeach sa stáisiún réidh faoina comhair. Níor cuireadh nóiméad féin amú. Ar iompú do bhoise bhí Bríd Ní Neachtain curtha ar shínteán agus ansin ar bord an héileacaptair. Chuaigh Sorcha agus an bhanaltra ar bord chomh maith. Níorbh fhada go raibh an héileacaptar san aer arís agus í ag déanamh caol díreach ar Ospidéal na hOllscoile i nGaillimh. Sheas an dream a bhí fágtha go ciúin dobrónach, soilse an héileacaptair ag imeacht uathu agus torann an innill ag dul i laige de réir a chéile. Nuair a bhí sí imithe as amharc ar fad phléasc Caitríona amach ag caoineadh. Bhí imní uirthi nach mbeadh na dochtúirí san ospidéal in ann Bríd a leigheas. Go mbeadh sé ródheireanach aon rud a dhéanamh di. Tháinig Séamas anall ón taobh eile den seomra.

'Gabh i leith anseo,' a dúirt sé go socair séimh agus chuir sé a lámh timpeall uirthi. 'S-sss! Ná bí ag caoineadh. Le cúnamh Dé tiocfaidh sí as.'

'B'fhéidir nach dtiocfaidh. Agus is ormsa a bheas an milleán....'

Ach ansin bhí a hathair ina sheasamh le taobh Chaitríona. Leag sé a lámh ar a gualainn.

'A Chaitríona,' a dúirt sé go borb, gan breathnú fiú ar Shéamas. 'Goile uait. Tá sé in am baile agatsa. Thar am baile.'

Caibidil 6

Oileán na Leice
Mí Iúil 1910

Ag cur fóid mhóna ar an tine a bhí Veronica Thompson
nuair a d'airigh sí an duine ag an doras. Cé a bheadh ag
teacht ar cuairt ag an tráth seo d'oíche? Ní hé go deimhin
go mbíodh mórán cuairteoirí aici lá ná oíche. Chuala sí
an cnag arís agus í ar a bealach go dtí an doras.

'An bhféadfadh sé…?' ar sise ina hintinn féin agus
bhraith sí an dóchas ag borradh ina croí.

Caithfidh gur thug an bhean a bhí ag an doras a
díomá faoi deara.

'Gabhaim pardún agat, a bhean uasal,' a dúirt sí. 'Tá a
fhios agam go bhfuil sé deireanach.'

Bhreathnaigh sí taobh thiar di go neirbhíseach agus í
ag tarraingt a seál dubh ina timpeall.

'Ach ba mhaith liom labhairt leat.'

Sheas Veronica siar agus lig sí an bhean nach raibh
feicthe riamh cheana aici isteach ina teach. Rith sé léi
nach ndéanfadh sí a leithid de rud roimhe seo.

'Is mise Maggie Bean Thomáis Uí Dhónaill. Is é Tomás a d'iarr orm a theacht. Níor mhaith leis féin ... tá fhios agat an chaoi a mbíonn rudaí,' arsa an bhean. 'Bhí an-mheas ag Tomás ar d'fhear céile. Bhí sé an-mhaith dó i gcónaí. Aon uair a raibh jabanna le déanamh is ar Thomás a ghlaoigh sé.'

'Tá a fhios agam é sin,' arsa Veronica leis an gcuairteoir gan cuireadh agus leag sí stól os comhair na tine di.

Chuir sí gráinne tae sa taephota, agus a croí ag preabadh ina cliabhrach. An raibh scéala faoi James ag an mbean seo? Ar theastaigh uaithi féin an scéal seo a chloisteáil? Ní raibh sí cinnte. Ach ní raibh aon rogha aici ó lig sí isteach í.

Bhreathnaigh Veronica go grinn ar an mbean a bhí anois ina suí ar an stól agus a seál bainte di aici. Chuir sé iontas ar Veronica chomh hóg agus a bhí sí. Ní raibh inti ach cailín, scór blianta ar a mhéid. Ach nár dhúirt James go raibh lán an tí de ghasúir ag Tomás Ó Dónaill? Bhí na focla as a béal i ngan fhios di.

'Is tú bean Thomáis, a dúirt tú. Ach tá tú an-óg! Bhí James ag rá....'

Rinne an bhean óg meangadh agus chríochnaigh sí an abairt. 'Go bhfuil ochtar gasúir ag Tom. Tá sé sin fíor. Is amhlaidh a phós Tom arís nuair a cailleadh an chéad bhean a bhí aige. Is liomsa an duine is óige de na gasúir.'

Cé go raibh scéalta mar seo cloiste go minic cheana ag Veronica ba dheacair léi a chreidiúint go raibh an cailín seo, a bhí deich mbliana níos óige ná í féin ina máthair ag ochtar páistí!

'D'iarr Tom orm a rá leat,' arsa Maggie, 'go bhfuil scéal d'fhear céile ag goilliúint air. Dúirt sé gur fear maith a bhí ... atá ann. Flaithiúil. Ní ar nós cuid de na coastguards eile. Ach tá rud eicínt ... rud nár inis sé d'aon duine.'

Stop sí soicind.

'Bheadh sé imithe chuig na peelers ag an am murach mise agus na gasúir. Ní raibh a fhios aige nach caite sa bpríosún a bheadh sé.'

Bhí sé soiléir ón méid seo go raibh Tomás Ó Dónaill ag fanacht glan ar an dlí. Ní raibh a fhios ag Veronica tuige a mbeadh an fear seo chomh himníoch faoi na póilíní. Chuala sí faoi dhaoine sa gceantar a raibh súil á choinneáil orthu ceart go leor. De bharr iad a bheith sáite sa bpolaitíocht nó ag díol poitín. Nó ag smuigleáil fiú. Meastú céard a bhí ar bun ag fear céile Mhaggie? Ach nár chuma. Cén difríocht a dhéanfadh sé anois? Chroch sí an citeal den tine agus dhoirt sí an t-uisce fiuchta isteach sa taephota.

Níor labhair Maggie Uí Dhónaill arís nó go raibh an tae ólta aici.

'Bhí Tom ag caint le d'fhear céile an lá deireanach a bhfacthas beo é. Fuair Tom scéala go raibh obair anseo ag an Station dó agus tháinig sé aníos láithreach.'

Phreab croí Veronica. Ní raibh tada cloiste aici faoi seo go dtí anois.

'Obair? Ar tháinig lastas isteach ar an mbád?'

'Níor tháinig. Is amhlaidh a bhí d'fhear céile ag déanamh garraí. Ní raibh sé ach ag tosaí air.'

'Garraí?' dúirt Veronica agus crith ina glór. 'Ní hea. Ní garraí a bhí sé ag déanamh ach gairdín. Gairdín domsa. Áit a bhféadfainn bláthanna agus luibheanna a chur ag fás. Gheall sé go mbeadh an gairdín ba deise in Éirinn agam.'

Shuigh sí agus chuir sí a ceann fúithi. Nuair a bhí an tocht curtha di ag Veronica choinnigh Maggie uirthi lena scéal. D'inis sí do Veronica tuige gur imigh Tomás abhaile an lá úd nuair a d'fhéadfadh pá lae a bheith saothraithe aige dó féin. Dúirt sí gur bheag nár thit an t-anam as nuair a chonaic sé an áit a raibh James Thompson ag réabadh. Móta Lios an Aird! Áit a raibh mallacht air riamh anall.

'Nuair a bhíodar ag tógáil an Station,' a dúirt Maggie, 'theastaigh ón innealtóir go dtógfaí níos faide síos é. Ní bheadh an oiread céanna cartadh le déanamh acu. Ach ní fhéadfaidís fir a fháil a ghabhfadh ag obair dóibh. Bhí siad ar fad scanraithe roimh mhallacht Mhóta Lios an Aird. Ar deireadh tógadh an Station níos faide siar ná an áit a bhí ceaptha. Siar go maith ón móta.'

Stop Maggie ansin agus bhreathnaigh sí go grinn ar Veronica, go bhfeicfeadh sí céard a bhí le rá aici. Ach níor dhúirt Veronica tada. Ní raibh a fhios aici céard a déarfadh sí! Bhí an mheabhair bainte di. Mótaí agus mallachtaí! Seo é an rud deireanach ar fad a raibh sí ag súil leis. Cheap Tomás agus Maggie Uí Dhónaill gur de bharr pisreoga agus mallachtaí a bhí James ar iarraidh! Dar ndóigh thuig Veronica go raibh creideamh agus cultúr dá gcuid féin ag muintir Oileán na Leice. Cultúr a bhí chomh sean leis na cnoic. Ní raibh aon deacracht aici leis sin. Chuile dhuine agus a bhealach féin. Ach tuige a gceapfaidís go gcreidfeadh sise ina gcuid mallachtaí agus ina gcuid pisreoga? Sin é a bhí ag baint an mheabhair di. Shocraigh sí mar sin féin ligean don bhean a scéal a chríochnú. Nuair a bheadh a cuid ráite aici chuirfeadh sí cúpla ceist uirthi. Ós rud é go raibh Tomás Ó Dónaill ar dhuine den dream deireanach a chonaic James theastaigh uaithi a fháil amach an raibh tada eile tugtha faoi deara aige. Ar cheap sé go raibh James athraithe ar aon bhealach. Go raibh rud eicínt ag goilliúint air? Ar dhúirt sé tada faoi Veronica féin? Ansin chomh luath in Éirinn nuair a bheadh na freagraí faighte aici ghlacfadh sí buíochas go múinte le Maggie Uí Dhónaill agus ní bheadh aon phlé acu le chéile arís.

Nuair nár labhair Veronica choinnigh Maggie uirthi. 'Ar aon chaoi,' ar sise agus í ag faire ar na lasracha sa tine 'ní féidir le Tom an lá sin a chuir as a chloigeann. An bealach ar bhailigh sé leis gan cúrsaí a mhíniú ceart dod' fhear céile. Tá an-aiféala air....'

Stop sí ansin ar nós nach raibh sí cinnte cén chaoi leis an scéal a mhíniú. Shíl Veronica gurbh fhearr di féin rud eicínt a rá.

'Níor cheart dó a bheith ag cur aon mhilleán air féin,' a dúirt sí. 'Ní thabharfadh James aon aird air. Nuair a thógann sé rud ina chloigeann ní bhíonn aon mhaith a bheith ag caint leis. Sin é an bealach atá leis.'

'B'fhéidir é,' arsa Maggie 'ach tá sé ar a choinsias ag Tom ar aon chaoi. Sin é an fáth ar iarr sé ormsa a theacht chugat. Le gur féidir linn a fháil amach céard go díreach a tharla do James Thompson.'

Bhí mearbhall ar Veronica. D'éirigh sí de sciotán agus thug sí a haghaidh ar an mbean ar an stól.

'Ní thuigim! Céard atá tú ag rá? An bhfuil rud eicínt nár déanadh? Áit eicínt nár cuardaíodh? Nó ab amhlaidh go bhfuil sé feicthe ag duine eicínt?' Bhí sí ag éirí corraithe anois.

'Céard atá fhios agat? Inis dom cá bhfuil sé!'

'Níl aon eolas agam féin, a bhean uasail,' arsa Maggie Uí Dhónaill. 'Ach tá a fhios agam duine a bheadh in ann a theacht ar an eolas.'

'Cén duine?' a d'fhiafraigh Veronica go mífhoighdeach.

'Máire Rua an Ghleanna,' arsa Maggie.

Is ón mbanaltra, Anne Henderson a chuala Veronica faoi Mháire Rua ar dtús. Bhí Anne ag dul in aer an lá céanna. Cantal uirthi de bharr nach chuici féin ach ag Máire Rua a tugadh iníon an táilliúra nuair a bhuail drochthinneas cinn í. Agus gur ar Mháire Rua a cuireadh fios an lá roimhe sin nuair a bhí Pádraig an tSiúnéara ag clamhsán ar phianta ina chliabhrach.

'Níor cheart dóibh banaltraí a chur go dtí áiteacha iargúlta mar seo,' ar sise le Veronica. 'Níl meas mada ag na daoine ar bhanaltraí ná ar dhochtúirí. Níl uathu ach luibheanna agus pisreoga!'

An tráthnóna sin d'fhiafraigh Veronica de James faoi Mháire Rua.

'Ó sea. Máire Rua,' a dúirt sé. 'Máire Rua an Ghleanna a thugann siad uirthi,' a dúirt seisean. 'Tá sí ina cónaí ar an taobh eile den oileán. Thall i nGleann Trasna. Creideann muintir na háite agus go deimhin féin daoine i bhfad ó bhaile go bhfuil leigheas aici. Leigheas ar chuile chineál galair agus aicíde! Agus deir siad go bhfuil sí in ann ainmhithe a leigheas chomh maith le daoine.'

'Agus meastú cén sórt leigheasanna atá aici?' a deir Veronica. 'Dúirt Anne Henderson rud eicínt faoi luibheanna ach ansin thosaigh sí ag cur di faoi phisreoga. Ach tá daoine ag úsáid luibheanna agus plandaí ó thús an tsaoil. Agus is cosúil go n-oibríonn siad. Níos fearr ná leigheas na ndochtúirí, cuid mhaith den am.'

'Is dóigh go n-oibríonn,' a dúirt James, 'mar tá Máire an-mholta as na buidéil leighis a thugann sí amach. Deirtear go raibh an cheird chéanna ag a máthair roimpi. Ach tá a fhios agam céard atá ar Anne. Cuid de na daoine a théann ag Máire Rua an Ghleanna ní leigheas a bhíonn uathu ar chor ar bith. Ach creideann siad gur bean feasa atá inti agus go bhfuil draíocht aici. Sin é an fáth a bhfuil an oiread oilc ar Anne Henderson. Tá cuthach uirthi go bhfuil níos mó measa ag daoine ar bhean feasa ná mar atá acu uirthi féin.'

Agus anois bhí Maggie Uí Dhónaill anseo agus í ag rá go bhféadfadh Máire Rua cuidiú léi!

'Tiocfaidh mé anseo agat san oíche amárach. Tá gaol agam le Máire Rua,' a dúirt sí. 'Gabhadh mé in éineacht leat go Gleann Trasna.'

D'éirigh an bhean óg ina seasamh ansin agus thug sí a haghaidh ar an doras. Bhí an oiread iontais ar Veronica is nár fhan focal aici.

'Beidh Tom ag fanacht ag bun an chnoic leis an gcapall agus an trap,' arsa Maggie. 'Tabhair leat rud eicínt a bhaineann le d'fhear céile. Ball éadaigh eicínt. Oíche mhaith, a bhean uasal.'

Agus leis sin tharraing Maggie Uí Dhónaill a seál suas thar a cloigeann go dtí nach bhfeicfeá ach a cuid súile. Ansin croch sí an laiste gan breathnú ina timpeall agus amach an doras léi.

Caibidil 7

Oileán na Leice
Mí Iúil 2012

'An bhfuil tú dúisithe, a Chaitríona? Tá mé ag déanamh braon tae,' a dúirt Sorcha, máthair Chaitríona agus í ag bualadh ar dhoras an tseomra codlata aici.

Níor fhreagair Caitríona í. Lig sí uirthi féin go raibh sí ina codladh nuair a sháigh Sorcha a cloigeann isteach. Níor chorraigh sí nuair a chuala sí í ag rá 'A Chaitríona, an bhfuil tú dúisithe?' den dara huair.

Bhí a fhios aici go maith go raibh fonn cainte ar a máthair. Bhí a fhios aici go raibh míle agus céad ceist aici, ceisteanna nach raibh fonn uirthise a fhreagairt. Ceisteanna go deimhin féin nach raibh sí in ann a fhreagairt. Dhún a máthair an doras arís go deas réidh. Tamall ina dhiaidh sin chuala Caitríona doras síos an pasáiste uaithi á oscailt agus ansin á dhúnadh arís. Chuile sheans go raibh a máthair imithe ar an leaba, í tuirseach tar éis di an oíche a chaitheamh san ospidéal le Bríd. Bheadh síocháin ag Caitríona ar feadh scaithimh eile.

Ina dhiaidh sin uileag, ba dheacair léi aon suaimhneas a dhéanamh. Bhí a hintinn ina chíor thuathail, na mothúcháin ag teacht go tiubh i mullach a chéile agus gan aon smacht aici orthu. Céard a bhí i ndán do Bhríd? An gcaillfí í? Nó ab é an chaoi go mairfeadh sí, ach í lagintinneach ar nós dearthár Ruth a gortaíodh i timpiste bóthair anuraidh? Bhraith sí ciontach de bharr gur iarr sí ar Bhríd a theacht in éineacht léi an chéad oíche úd. Murach gur iarr bheadh Bríd ina sláinte inniu, í ag ithe a bricféasta nó ag beathú na gcearc ar nós aon mhaidin eile thall i dteach Mhamó. Ach thar rud ar bith eile bhí aiféala ar Chaitríona go raibh sí chomh géar agus chomh gránna le Bríd. Ní raibh inti ach raicleach—ag tromaíocht ar chailín chomh soineanta le Bríd! An chéad oíche a rabhadar sa stáisiún nár ghearr le dris í faoi gur mó aird a bhí á thabhairt ag Séamas ar Bhríd ná uirthi féin.

Chaith sí í féin siar ar an leaba. Bhí sí tugtha, traochta. Ach cé go raibh an-fhonn codlata uirthi b'fhearr léi i bhfad fanacht ina dúiseacht. Aon uair a dtiteadh néal codlata uirthi dhúisíodh sí de gheit agus fuarallas léi ag na brionglóidí aisteacha, na brionglóidí gránna scanrúla. Ach ní raibh aon suaimhneas aici agus í ina dúiseacht ach an oiread. I gcaitheamh an ama bhí an diabhal d'amhrán sin go síoraí ina cloigeann. É ar nós macalla nach bhféadfaí a dhíbirt: '*I know my love by his way of walking...*'

Chuaigh an lá thart. Bhí comharsain agus gaolta ag

bualadh isteach tigh Fhlatharta ag fiafraí faoi Bhríd. Níor stop an fón ag glaoch. Ach níor fhág Caitríona a seomra codlata. San iarnóin tháinig a máthair isteach chuici. Tamall ina dhiaidh sin tháinig a hathair isteach. An raibh sí ceart go leor, a d'fhiafraíodar di. An raibh sí cinnte nach raibh aon rud uaithi? Caithfidh go raibh ocras uirthi. Chroith sí a cloigeann gan focal a rá. Níos deireanaí tráthnóna chuala Caitríona a tuismitheoirí ag caint eatarthu féin taobh amuigh sa bpasáiste. Bhí imní orthu fúithi.

'Tá súil agam go bhfuil sí ceart go leor,' a dúirt a hathair.

'Ní maith liom an chaoi a bhfuil sí luite ansin gan hum ná ham aisti.'

'Agus níl greim ite aici ó thráthnóna inné,' arsa a máthair. 'B'fhearr dúinn glaoch ar an dochtúir di. Níl a fhios agam cén fáth nár ghlaoigh mé air roimhe seo. Nuair a chuimhníonn tú ar an ngeit a baineadh aisti aréir!'

D'éirigh Caitríona de léim as an leaba. Taobh istigh de dhá mheandar bhí sí gléasta agus í istigh sa gcistineach. Chuir sí ann a fón póca agus léigh sí a cuid teachtaireachtaí. Bhí go leor dá cairde ag fiafraí cén chaoi a raibh Bríd. Bhí cúpla téacs tagtha ó Iain. Ach is é an rud ba mhó a bhí ann ná téacsanna agus iarrachtaí ar ghlaochanna ó Shéamas! Céard a bhí ag dul ar aghaidh, a d'fhiafraigh sé. Cén fáth nach raibh sí ag freagairt a fón póca? Agus tuige, nuair a ghlaoigh sé ar an teach gur dhúirt a hathair leis dul i dtigh diabhail? Chaithfeadh sé labhairt léi. Cén t-am a bhféadfaidís castáil le chéile?

Bhí Caitríona ag léamh na dteachtaireachtaí arís nuair a d'oscail doras na cistine. Siúd isteach iad, duine i ndiaidh a chéile. A hathair, a máthair, Mamó. Ba ghearr go raibh aiféala ar Chaitríona nach fanta ina seomra a bhí sí!

'Céard sa diabhal a bhí sí féin agus a cairde ag déanamh istigh sa Station?' a d'fhiafraigh a hathair di. 'Nuair a bhíonn daoine óga ag cúinneáil thart in áiteacha iargúlta d'fhéadfá a bheith siúráilte nach aon cheo maith a bhíonn ar bun acu,' a dúirt sé.

Ní raibh seans ag Caitríona é a fhreagairt mar gur thosaigh Mamó uirthi ansin.

'Nach dona thú, a Chaitríona,' a dúirt sise. 'Nach mbreathnódh amach do do chol ceathrar atá i bhfad níos óige ná thú agus í ina strainséara anseo. Abair liom nach raibh sibh ag ól nó — Dia idir sinn agus an anachain — ag plé le drugaí.'

'Ní raibh muid ag ól ná ag tógáil drugaí,' a dúirt Caitríona agus í ag iarraidh na deora a chosc.

Níor thuig sí cén fáth nach ligfidís di. Nach beag an tuiscint a bhí acu ar a cás, ar cé chomh trína chéile agus a bhí sí!

'Níl tada déanta as bealach againn,' a dúirt sí leis na daoine fásta, 'seachas a bheith fanta amuigh deireanach. Agus ... Bríd a bheith éalaithe amach gan cead.'

'Níl a fhios agam cén chaoi a bhféadfá a rá nach raibh

tada as bealach déanta agaibh,' a dúirt a máthair. 'Nuair nach raibh cead ag aon duine a bheith istigh sa stáisiún! Ach ba mhaith liomsa a fháil amach faoi Shéamas Jim. An bhfuil níos mó ná cairdeas idir an bheirt agaibh?'

'Níl tada eadrainn,' a dúirt Caitríona. 'Níl ann ach go bhfuil muid sa rang céanna ar scoil.'

Bhí sí bodhraithe ag a gcuid ceisteanna anois. Agus a tuismitheoirí ag ligean orthu féin go raibh siad imníoch fúithi! Dá mbeadh an oiread sin imní orthu an mbéidís á crá mar seo? Thug sí cupán tae ar ais léi go dtí a seomra codlata.

Cúpla uair a chloig ina dhiaidh sin stop carr na ngardaí taobh amuigh den teach acu. Na gardaí! Ba bheag nár thit an t-anam as Chaitríona nuair a chuala sí ag an doras iad. An raibh siad anseo mar gheall ar Bhríd? Ach ní thagann na gardaí díreach mar gheall ar dhuine a bheith gortaithe, an dtagann? Ach, arís ar ais, cén fáth eile a mbeidís ann? Ghlaoigh a máthair amach uirthi. Chuir na Gardaí Micheál Seoighe agus Niamh de Búrca iad féin in aithne do Chaitríona is dá tuismitheoirí. Ní raibh ann ach go raibh cúpla ceist acu le cur ar Chaitríona, a dúradar, faoin oíche roimhe sin. Bhí a croí ina béal ag Caitríona. Ní raibh aon chleachtadh aici ar a bheith ag plé leis na gardaí.

'Ba mhaith linn go mbeithfeása i láthair freisin, a Bhean Uí Fhlatharta,' a dúirt an Garda de Búrca lena máthair. 'Ní thógfaidh sé i bhfad.'

'Tuigtear dúinn nárbh é seo a chéad uair agaibh a bheith istigh sa stáisiún, a Chaitríona,' arsa an Garda Seoighe nuair a bhíodar suite sa seomra suí agus a gcuid leabhar nótaí osclaithe ag na gardaí.

'Sin é an fáth a bhfuil siad anseo!' a dúirt Caitríona ina hintinn féin. 'Tá muid i dtrioblóid faoi go ndeachaigh muid isteach ar láthair seandálaíochta!'

Chuimhnigh sí ar na fógraí fainice a bhí crochta ann. Chuimhnigh sí ar an sconsa a bhí curtha suas le daoine a choinneáil amach.

'Níorbh é. Bhí muid … bhí muid ann an oíche roimhe sin chomh maith.'

'An ceathrar céanna agus a bhí ann aréir? Tú féin, do chol ceathrar Bríd, Iain Mac Giolla Easpaig agus Séamas Mac Donncha.'

'Sea.'

'Tá tú cinnte nach raibh aon duine eile in éineacht libh.'

'Tá.'

'Agus cé agaibh a chuimhnigh ar dtús ar a dhul isteach sa stáisiún?' a d'fhiafraigh an Garda de Búrca de Chaitríona.

'Iain … is dóigh. Seisean a chuir scéala chugamsa.'

'An bhfuil faisean ag déagóirí a bheith thart ar an stáisiún deireanach san oíche?

'Níl a fhios agam. Ní raibh mise ann cheana.' Chuimhnigh sí ar a raibh de bhuidéil agus de channaí beorach caite istigh sa bhfoirgneamh.

'Agus inis dom, a Chaitríona, céard go díreach a bhí ar bun ag an gceathrar agaibh istigh sa stáisiún,' a dúirt an Garda Seoighe. 'An chéad oíche atá i gceist agam.'

'Ní raibh muid ach ... suite thart. Ag caint. Ar foscadh ón mbáisteach.'

'Agus an dara hoíche?'

'Bhí muid ag....' Shocraigh sí gurbh fhearr gan aon cheo a rá faoi thaibhsí. 'Theastaigh uainn an áit ar fritheadh na cnámha a fheiceáil,' a dúirt sí. 'An móta a raibh daoine ag caint faoi.'

Ansin d'iarr na gardaí ar Chaitríona cur síos a dhéanamh ó thús deireadh ar eachtraí na hoíche ar gortaíodh Bríd. Ba mhaith leo nach bhfágfadh sí rud ar bith, fiú an rud is fánaí féin amach. An fhad is a bhí Caitríona ag caint bhí an bheirt gharda ag scríobh leo. Nuair a stop sí bhí tuilleadh ceisteanna acu. Theastaigh ón nGarda de Búrca a fháil amach cé méid aithne a bhí ag Bríd ar Shéamas Mac Donncha.

'Ní raibh mórán aithne aici air,' a dúirt Caitríona. 'Tá sé beagnach trí bliana níos sine ná í. Ach tá Séamas sa rang céanna liomsa. Sin é an chaoi ar chuir Bríd aithne air.'

'Arbh é Séamas a d'inis do Bhríd go raibh sibh ag bualadh le chéile ag an stáisiún?' a d'fhiafraigh an Garda Seoighe di.

'Níorbh é. Mise a d'inis di faoin gcéad oíche. Agus an dara hoíche, shocraigh an ceathrar againn go rachadh muid ar ais ann.'

'An barbaiciú seo aréir. Is cosúil go raibh ól le fáil ann,' arsa an Garda de Búrca. 'An raibh Séamas ag ól?'

'Ní fhaca mise ag ól é.'

Thug Caitríona faoi deara gur faoi Shéamas a bhí na gceisteanna uileag anois. Rith sé léi ansin den chéad uair gur shíl na gardaí go raibh baint ag Séamas le gortú Bhríd! Ach is í a máthair, a bhí suite ansin ag éisteacht go grinn a chuir an cheist.

'An gceapann sibh go raibh baint ag Séamas Jim leis an rud a tharla?' a d'fhiafraigh Sorcha de na gardaí.

'Ag an bpointe seo ní féidir aon rud a chur as an áireamh, a Bhean Uí Fhlatharta,' a dúirt an Garda Seoighe. 'Nílimid ach ag cur tús lenár gcuid fiosrúchán.'

Ansin dhún an bheirt gharda a gcuid leabhar nótaí agus ghlac siad buíochas le Caitríona as ucht comhoibriú leo.

'Agus má chuimhníonn tú ar aon rud eile faoin oíche aréir, a Chaitríona,' a dúirt an Garda de Búrca léi agus iad ag an doras, 'bí cinnte agus glaoch a chur ar an stáisiún.'

'"Ag cur tús lenár gcuid fiosrúcháin!" mar dhea!' arsa máthair Chaitríona agus í ag dúnadh an dorais ina ndiaidh.

'Nach in an port a bhíonns acu i gcónaí. Fiú agus fios maith acu cé atá ciontach. Fan amach ón lad sin, a Chaitríona. An gcloiseann tú anois mé? Ní chuirfinn tada thairis.'

Thit an drioll ar an dreall ar Chaitríona. Chuimhnigh sí ar an téacsanna a bhí tagtha ó Shéamas. Bhí rún aici iad a fhreagairt. Ach anois ní raibh a fhios aici céard a déarfadh sí leis. Bheadh sé ag iarraidh í a fheiceáil. Shocraigh sí glaoch ar Iain.

'An bhfuil tú in Oileán na Leice?'

Ní raibh. Bhí Iain imithe abhaile go Gaillimh. Bhí sé tar éis an lá a chaitheamh ag iarraidh glaoch uirthi, a dúirt sé le Caitríona. Theastaigh uaidh rud eicínt a thaispeáint di. An bhféadfadh sí a theacht isteach le castáil leis?

'Tá mé dul isteach go Gaillimh ar bhád na maidine,' a dúirt Caitríona lena máthair. 'Caithfidh mé bronntanas a cheannach do Mhamó. Níl tada faighte agam fós dá lá breithe.'

'Is dóigh go mbeadh sé chomh maith dhuit. Bheadh sé níos fiúntaí ar aon chaoi ná a bheith caite thiar ansin sa leaba an lá ar fad.'

Caibidil 8

Ba ar éigean a chodail Chaitríona néal an oíche sin ach an oiread. Nuair a bhuail an t-alarm ag a seacht, chuir sí as é. Níor chuala sí aon duine eile ag corraí sa teach agus níor éirigh sí go dtí an nóiméad deireanach. Amach an doras léi gan smidiú a chur uirthi féin ná cupán tae a ól. Rith sí ar cosa in airde síos an cnoc. Nuair a shroich sí an chéibh ní raibh nóiméad féin le spáráil aici! Bhí na hinnill tosaithe agus an bád réidh le tarraingt amach! Bhí Caitríona buíoch gur turasóirí ba mhó a bhí ar an mbád. Go hiondúil, bheadh sí breá sásta comhluadar a bheith aici a ghiorródh an turas uair an chloig go dtí an mórthír. Ach is beag fonn cainte a bhí uirthi inniu. D'aimsigh sí suíochán le hais na fuinneoige agus thosaigh sí ag cartadh ina mála, ag cuartú a fón póca! Chuirfeadh sí téacs ag Iain le rá leis go raibh sí ar an mbealach. Ach nach raibh a fón fágtha ina diaidh aici!

'Scéal cam air,' a dúirt sí agus cantal uirthi léi féin. 'Tá mé chomh scaipthe na laethanta seo is go bhfágfainn mo chloigeann i mo dhiaidh.'

Ba mhór an mhaith go raibh socrú déanta aici le Iain cheana féin faoin áit agus am a gcasfaidís le chéile.

Bhí Iain ag fanacht le Caitríona taobh amuigh den ionad siopadóireachta ar an bhFaiche Mhór.

'Cén chaoi a bhfuil Bríd ag déanamh?' an chéad cheist a chuir sé uirthi.

'Níl sí ach ag stracadh ar éigean. Ach tá sí curtha suas go Baile Átha Cliath acu — go hOspidéal Bheaumont.'

'Agus meastú… meastú an mbeidh siadsan in ann aon cheo a dhéanamh? An dtiocfaidh sí as?'

'Níl a fhios ag na dochtúirí féin fós. Ach dúirt Mam nach mbreathnaíonn sé go maith. Agus tá a fhios agat go mbíodh Mam ina banaltra.'

'Tá sé sin uafásach! Bhí mé ag súil gur dea-scéala a bheadh agat.'

'Faraor nach ea.'

Tar éis dóibh deoch an duine a cheannach sa siopa beag a bhí ar an mbealach isteach san Ionad shuíodar ar cheann de na cathaoireacha boga ag bun an staighre.

'A Chaitríona,' a dúirt Iain ansin, 'an bhfuil tusa fós ag ceapadh gur timpiste a bhí ann? Gur timpiste a tharla do Bhríd arú aréir? Eadrainn féin anois.'

'Tá mé siúráilte gurb amhlaidh a thit sí,' a dúirt Caitríona. 'Bheadh sé an-éasca le duine titim agus an

méid mangarae a bhí caite thart ann. Ach tá daoine eile
ag déanamh amach ... gurb é Séamas....' Stop sí. Bhí
tocht ina glór. 'Tháinig na gardaí chuig an teach againn
tráthnóna inné,' ar sí ansin. 'Ba bheag nár thit an t-anam
asam. Ní raibh aon choinne agam go mbeadh na gardaí
ag teacht. Chuireadar an t-uafás ceisteanna orm. Faoi
Shéamas a bhí a bhformhór. Tá Mam agus Daid cinnte
glan gur ionsaigh sé Bríd agus gurb in é an chaoi ar
tharla an gortú di. Tá a n-intinn déanta suas ag an
mbeirt go bhfuil Séamas ciontach, sin gan chúirt gan
bhreitheamh. Agus tá ordú agamsa gan aon bhaint a
bheith agam leis. Cheistigh na gardaí mise chomh maith.
Déarfainn go gceapann siad gur scabhtaera atá ann, a
Iain?'

'Níl a fhios agam. Ní hé an oiread sin aithne atá agam
air, i ndáiríre. Caithfidh tú cuimhneamh gur i mbliana a
casadh orm ar dtús é.'

Bhí Caitríona thar a bheith díomúch leis an bhfreagra
a fuair sí. Shíl sí nuair a shocraigh sí castáil le Iain go
n-oibreodh an bheirt acu amach céard go díreach a
tharla do Bhríd. Bhí sí siúráilte go bhféadfadh an bheirt
acu a chruthú don saol mór nach raibh baint ná páirt ag
Séamas le gortú Bhríd.

'Bhuel, tá aithne agamsa air ó bhí muid sa mbunscoil,'
a dúirt sí le Iain. 'Tá aithne mhaith agam air. Duine lách,
macánta atá ann. Ní ghortódh sé aon duine....'

'Bhuel ... tuigim cén fáth a ndéarfása é sin. Nach

bhfuil an bheirt agaibh mór le chéile?' Déanadh staic de Chaitríona. 'Cén chaoi a raibh a fhios agat é sin?'

'An oíche úd thíos ag an mbarbaiciú, d'oibrigh mé amach é.'

'Ach bhí tú ag déanamh amach go raibh súil ag Séamas ar Bhríd. Nach in é a dúirt tú nuair a bhí mé féin agus tú féin amuigh ag breathnú ar an móta.'

'Ní raibh mé ach ag baint asat. Ag méiseáil. Go bhfeicinn céard a déarfá.' D'inis Caitríona d'Iain go raibh amhras ar a tuismitheoirí go raibh sí ag siúl amach le Séamas. Ach cén fáth, a d'fhiafraigh sí de go raibh a tuismitheoirí agus daoine nach iad breá sásta Séamas a chrochadh? Bhí sé ag cur mearbhaill uirthi.

'Ach thuigfeá dóibh,' a dúirt Iain. 'Ó tharla go bhfuil cineál droch-cháil air cheana féin. Nár ionsaigh sé lad strainséartha cúpla mí ó shin?'

'Seafóid. Cé a dúirt é sin leat? Níor ionsaigh sé aon duine!' Bhí Caitríona ag éirí teasaí. 'An lad sin a bhfuil tú ag caint air, bhí sé ar meisce. Dallta. Bhí sé ag cur as do chol ceathrar le Séamas, Aisling. Dúirt Séamas leis éirí as an ngalamaisíocht agus a dhul abhaile dó fhéin. Bhrúigh sé an lad as an mbealach, ach bhí mo dhuine chomh dallta is gur thit sé i mullach an chlaí.'

'Ní hin é an leagan atá ag daoine eile.'

'Is cuma liom sa diabhal cén leagan atá acu! Ní rabhadar ann. Tá mé ag rá leat, a Iain, gurb in é a tharla. Chonaic mé le mo dhá shúil féin é.'

'Agus … bhí sé i dtrioblóid ar scoil nach raibh?' a dúirt Iain. 'Chuala mé gur cuireadh ar fionraí é an téarma seo caite.'

'Níor cheart dó sin tarlú ar chor ar bith. Níorbh é a bhí ciontach.'

B'fhacthas do Chaitríona go raibh chuile dhuine ag piocadh ar Shéamas. An raibh siad ag cur sórt liosta le chéile? D'éirigh sí ina seasamh agus thosaigh sí ag cur di. Thug cuid de na daoine a bhí ag dul tharastú caidéis don bheirt dhéagóir.

'An gcreidfeá,' arsa Caitríona, 'nár cuireadh aon phíonós ar an duine a bhí ciontach! An múinteoir a chonaic an rud ag tarlú, tá an ghráin shíoraí aige ar Shéamas. Bhí i gcónaí. Níor thug sé seans ar bith dó. Chuaigh cuid againn chuig an bpríomhoide leis an scéal ceart a mhíniú di. Ach, cur amú ama a bhí ann. Níor tugadh aon éisteacht dúinn.'

Rinne Iain staidéar sular fhreagair sé. 'Tuigim go mbíonn dhá leagan ar chuile scéal,' a dúirt sé ansin, 'ach feictear dom gur minic le trioblóid a bheith san áit a mbíonn Séamas.'

Níor fhan focal ag Caitríona. Ba cheart di a bheith fanta sa mbaile! Nárbh í a bhí díchéillí ag ceapadh go raibh cara sa gcúirt ag Séamas in Iain. Ghoill sé uirthi cuimhneamh anois ar an meas a bhíodh ag Iain ar Shéamas. Cé a chreidfeadh go mbeadh sé in amhras faoi mar seo? Go gceapfadh sé nach raibh a chara le trust! A tuismitheoirí, na gardaí agus anois Iain é féin. An bhféadfadh sé go raibh dul amú uirthise faoi Shéamas? Ba dheacair léi glacadh leis. Ní raibh sí sásta glacadh leis! Is amhlaidh nach raibh aithne cheart ag daoine eile ar Shéamas. Bhreathnaigh sí ar a huaireadóir.

'Ní raibh tuairim na ngrás agam go raibh sé chomh deireanach!' a dúirt sí. Chuir sí a mála ar a gualainn. 'Breathnaigh, a Iain, caithfidh mé tabhairt faoi na siopaí. Tá bronntanas le ceannach agam do Mhamó. Níl a fhios agam beo céard a gheobhas mé di. Ní chreidfeá chomh deacair is atá sé bronntanas feiliúnach a fháil do bhean atá ag tarraingt ar cheithre scór.'

Ní raibh Iain pioc sásta a chloisteáil go raibh Caitríona ag imeacht.

'Nach féidir leat fanacht scaitheamh eile? Nach ag a sé a sheolann an bád? Tá os cionn ceithre uair an chloig fós agat. Theastaigh uaim rud eicínt a thaispeáint dhuit. Bhuel, dhá rud in dáiríre. Ach tosóidh muid leis seo.'

Thóg Iain ríomhaire beag amach as a mhála. An ceann ba nua-aimseartha dá bhfaca Caitríona riamh ina saol. Las a súile.

'Ó a mhac go deo,' a dúirt sí. 'Tá éad orm leat. B'aoibhinn liom ceann acu sin! Ar bhuaigh tú an Lotó nó rud eicínt?'

'Faraor, is le Mam é! Agus thabharfadh sí leathmharú orm dá mbeadh a fhios aici go raibh sé agam. Taibléad atá ann. Is féidir chuile shórt a dhéanamh air. Ach an rud a bhí mé ag iarraidh a thaispeáint dhuit … tá sé agam anseo. Beidh an-spéis agat ann. Tá mé cinnte de.'

Shleamhnaigh Iain a mhéar go paiteanta trasna an scáileáin. Ansin shín sé an taibléad chuig Caitríona.

'Caithfidh tú é seo a léamh.'

Níl sé ar chumas taibhsí teacht ar an gcineál fuinnimh a theastódh chun nithe fisiciúla a chorraí. Bíonn siad ag brath ar fhoinse cumhachta in aice láimhe chun é sin a dhéanamh. Is minic go mbaintear leas as daoine óga, gan fhios dóibh, agus taibhsí ar a míle dícheall ag iarraidh aird a tharraingt ar a gcás.

'Tá go leor focla móra ann,' a dúirt Caitríona nuair a bhí an t-alt léite aici. 'Agus, níl mé siúráilte cén bhaint atá aige linne.'

'An cuimhin leat an lá cheana nuair a bhí muid sa gcaifé? Dúirt Bríd gur cheap sí féin go raibh taibhse Bhean Thompson sa Station agus go raibh sí ag iarraidh teangmháil a dhéanamh linne.'

'Is cuimhin liom go maith é. Shíl mé go bhféadfadh sé go raibh an ceart ar fad aici. Ach is cuimhin liom freisin gur thosaigh tusa ag cur na gcosa uait. Bhí tú oibrithe faoi go gcreidfeadh aon duine i dtaibhsí … rud eicínt faoi gur bhaineadar leis an seansaol.'

'Tá a fhios agam. Sin é a dúirt mé ceart go leor. Ach ansin nuair a tháinig mé abhaile go Gaillimh chuaigh mé ag scimeáil ar an idirlíon. Ní chreidfeá a bhfuil de stuif atá ann faoi thaibhsí agus faoi sprideanna!'

'Bíonn rudaí ar an idirlíon nach bhfuil bun ná barr leo! Ní fhéadfá toradh a thabhairt ar a leath.'

'Nach bhfuil a fhios agam go maith! Caithfidh duine na suíomhanna cearta a aimsiú. Ach ar aon chaoi, tar éis dom an píosa atá ar an scáileán ansin againn a léamh, thosaigh mé ag cuimhneamh ar an teoiric a bhí ag Bríd. Shocraigh mé go rachainn isteach chuig an leabharlann....'

'Sherlock Holmes ceart!'

'Agus b'fhiú dul ann. B'fhiú go mór é! Ní thomhaisfidh tú go deo céard a fuair mé i gceann de na sean-nuachtáin! Tá sé anseo agam.'

Thóg sé leathanach fótachóipeáilte as a phóca agus shín sé chuig Caitríona é.

Galway Herald 25 February 1916
Death notices
Thompson — 22 February at St Bridget's Hospital,
Ballinasloe, Veronica. Second daughter of the late
Mary and William Hand, Belfast. Late of Coast
Guard Station, Illaunalakey, Co. Galway. Deeply
regretted by her grieving sister Elizabeth (Athlone).
Funeral private.

Léigh Caitríona an fógra báis go ciúin. Ansin léigh sí é den dara huair é. Ní raibh focal aisti ar feadh meandair.

'Late of Illaunalakey, Co. Galway,' a dúirt sí ansin. 'Cruthaíonn sé seo go raibh a leithide de dhuine ann! Go bhfuil fírinne eicínt sna scéalta!'

'Seans go bhfuil an fhírinne ar fad iontu.'

'Ach amháin … deir siad anseo go raibh deirfiúr aici — Elizabeth — ach níl a dhath ráite ann faoi fhear céile.'

'Bhí mé féin ag déanamh iontas faoi sin. Ach cuimhnigh air — bhí sé ar iarraidh ach ní raibh aon chorp faighte. Ní raibh a fhios acu beo nó marbh é. Ach ar thug tú faoi deara, a Chaitríona, cár cailleadh í?'

'Deireann siad gur cailleadh in ospidéal í.'

'Sea! In Ospidéal Naoimh Bríde i mBéal Átha na Sluaighe. Sin é an áit a gcuirtí daoine a d'imíodh as a meabhair. Ospidéal síciatrach a bhí ann ach tá sé dúnta anois le fada.'

'Ó! Ní raibh a fhios agam fiú go raibh a leithid d'áit ann. Nuair a chuimhním anois air, scaití nuair a bhíonn muid ag crá Mhamó deireann sí go gcuirfidh muid go Béal Átha na Sluaighe í. Anois a thuigim céard a bhí i gceist aici le Béal Átha na Sluaighe!'

Shuigh an bheirt ansin tamall, gan cor astu ag stánadh síos ar an bpíosa páipéir. Bhraith Caitríona comhbhá as an ngnách leis an mbean seo. Bean a bhí básaithe le beagnach céad bliain.

'Veronica a bhí ar an mbean bhocht,' a dúirt sí. 'Nach truamhéalach an scéal é! D'imigh sí as a meabhair sa Station ag súil chuile lá go dtiocfadh a fear céile abhaile. Agus, ansin, b'éigin dóibh í a chur isteach i gceann de na hospidéil ghránna sin.'

'Ach ní gá go raibh sí as a meabhair, tá a fhios agat.

Fadó chuirtí daoine, go háirithe mná, isteach sna hospidéil sin le iad a chur as an mbealach. Is minic nach mbíodh tada beo contráilte leo.'

'Bhí clár ar an teilifís faoi sin le deireanas, nach raibh?'

'Bhí agus tá leabhar bunaithe air ag duine de na scríbhneoirí mór le rá... Sebastian Barry, tá mé cheapadh.'

'Ach rud amháin, a Iain, nach bhfuil mé ag baint aon mheabhair as, más in ospidéal a fuair Veronica bás cén fáth a mbeadh a sprid i Stáisiún Oileán na Leice? Nach mó seans go mbeadh a taibhse san áit ar cailleadh í?'

'Bhuel, tá mise ag déanamh amach gur tháinig a sprid ar ais go dtí an stáisiún nuair a cailleadh í.'

'A Iain Mhic Giolla Easpaig, tá tú ag baint an mheabhair uileag díom anois! An fear a dúirt cúpla lá ó shin nach raibh a leithid de rud ann le taibhsí!'

'Bhuel ... is iomaí rud atá athraithe le cúpla lá.'

'D'fhéadfá a rá!'

Níor labhair ceachtar acu ar feadh nóiméid ach iad ag cuimhneamh ar a raibh tarlaithe le cúpla lá anuas. Ar an gcaoi gur féidir leis an saol athrú go tubaisteach d'aon iarraidh amháin.

'Tá mé ag ceapadh go bhfuil sé agam anois!' a dúirt Caitríona. 'Theastaigh ó Veronica a bheith sa stáisiún mar gheall go raibh a fear curtha sa móta taobh amuigh. Bhí a fhios aici nuair a bhí sí caillte gur ansin a bhí sé. Sin grá dhuit!'

'Sea 'mhanam. Ach ansin d'athraigh cúrsaí. Tháinig na seandálaithe agus thosaigh siad ag tochailt. Agus níor thaitin sé sin beag ná mór le Veronica. Anois léigh an píosa ón idirlíon arís. Go háirithe an abairt dheireanach.'

Bhreathnaigh an bheirt síos ar an scáileán. Léigh Caitríona an abairt dheireanach amach.

"'Is minic go mbaintear leas as daoine óga, gan fhios dóibh, agus taibhsí ar a míle dícheall ag iarraidh aird a tharraingt ar a gcás." Bhí sí "ar a míle dícheall ag iarraidh aird a tharraingt ar a cás." ceart go leor,' a dúirt sí. 'Ag caitheamh rudaí thart! An "cás" seo a raibh sí ann...?'

'Má ghlacann muid leis gurb iad cnámha a fir chéile a thóg na seandálaithe as an áit ... nach mbeadh sí trína chéile faoi sin?'

'Bheadh, ceart go leor. An-trína chéile.'

'Meastú, má oibríonn siad amach go cinnte gurb é corp James Thompson atá faighte, meastú an gcuirfidh siad é san áit a bhfuil Veronica curtha?'

'Cheapfá gurb in é a dhéanfaidís. Sin é ba cheart a dhéanamh.'

'Bheadh sí sásta ansin.'

'Bheadh. Bheadh suaimhneas aici ar deireadh.'

Caibidil 9
Oileán na Leice
1910

Níor chodail Veronica Thompson néal ar bith an oíche sin. Bhí mí caite anois ó d'imigh James gan tásc gan tuairisc. Ó d'fhág sé í ag sileadh na ndeor. Chreid sí ón tús go raibh a fear céile fós beo. Chreid sí go dtiocfadh sé ar ais chuici. Go mairfidís beirt go sona sásta le chéile as sin amach.

Ach anois.... Céard atá athraithe anois?

Tá sí cinnte i gcónaí go bhfuil a fear céile beo. Ach an dtiocfaidh sé ar ais chuici? Níl sí chomh cinnte agus a bhí faoi sin. B'fhéidir go gcaithfidh sise dul chuigesean. Ach cá bhfuil sé? Sin í an cheist. Ach déanfaidh Veronica Thompson rud ar bith a dhéanamh le freagra a fháil ar an gceist áirithe sin. Rud ar bith. I gcaitheamh na hoíche chuaigh sí siar arís agus arís eile ar an méid a dúirt Maggie Uí Dhónaill. Chuaigh sí siar ar a raibh cloiste roimhe sin aici faoi Mháire Rua an Ghleanna.

Nuair a tháinig Maggie chuig an doras an oíche dar gcionn bhí Veronica ag fanacht léi. Thóg sé os cionn leathuair orthu dul go Gleann Trasna sa trap. Ar an mbealach cheistigh Veronica an bheirt a bhí léi faoi Mháire Rua. Céard a d'úsáid an bhean feasa le teacht ar an bhfios seo a bhí aici? An mbíodh freagra cinnte aici i gcónaí do dhaoine ar nós í féin? Ach má bhí an t-eolas seo ag an lánúin ba chosúil nach raibh aon fhonn orthu é a roinnt le Veronica.

Bhí Máire Rua ina suí ag an tine nuair a chuaigh siad isteach. D'éirigh sí láithreach agus gan beannú beag ná mór do Veronica labhair sí leis an mbeirt eile.

'Gabhfaidh mé isteach sa seomra beag léi. Coinnígí móin leis an tine.'

Ansin sméid sí ar Veronica í a leanacht. Bhí siad i seomra beag dorcha nach raibh de throscán ann ach stól fada istigh leis an mballa. Dúirt Máire Rua le Veronica suí ar an stól. Ansin chuaigh sí féin anonn go dtí leic na fuinneoige.

'Inis dom cén t-ainm atá air,' a dúirt sí le Veronica gan iompú timpeall. 'Ar d'fhear céile.'

'James,' a deir Veronica. 'James Thompson.'

Tháinig Máire anall chuig Veronica ansin agus thóg sí uaithi an caipín a bhí ina lámh aici. Ansin d'iompaigh sí a droim le Veronica arís agus thosaigh sí ag aithris ortha. Níor thuig Veronica focal dar dhúirt an bhean feasa. Ní Béarla a bhí ann ar chaoi ar bith. Ná Laidin. D'fhéadfadh sé gur Gaeilge a bhí ann. Ní raibh sí cinnte. Cheapfá gur ag paidreoireacht a bhí an bhean feasa agus í ag stánadh ar pé rud a bhí ina bois aici. Ach tar éis tamaill chuala Veronica focail a thuig sí. Chuala sí ainm a fir chéile. Chuala sí cúpla uair é. Ansin bhí ciúnas ann.

D'iompaigh Máire Rua timpeall go mall. Den chéad uair bhreathnaigh sí idir an dá shúil ar Veronica. Labhair sí go séimh léi.

'Tá brón orm, a bhean uasail,' ar sise. 'Tá an-bhrón orm. Ach níl d'fhear céile ar an saol seo níos mó. Tá James Thompson básaithe.'

Léim Veronica ina seasamh. Sula raibh a fhios ag Máire Rua céard a bhí ag tarlú bhí Veronica lena taobh. Ansin bhí lámh amháin aici ar chaipín James agus an láimh eile ar an mbuidéal gloine a bhí ag an mbean feasa.

'Céard a chonaic tú ann?' a dúirt sí de bhéic. 'Inis dom céard a chonaic tú?'

'Ná breathnaigh isteach sa mbuidéal,' arsa Máire Rua. 'Ní féidir leat breathnú isteach sa mbuidéal!'

Ach bhí sé ródheireanach. Bhí an dochar déanta. Tabharfar Veronica Thompson amach as Gleann Trasna i ndorchadas na hoíche. Tabharfar abhaile í go dtí stáisiún an gharda cósta. Ach ní hí an Veronica céanna atá ann níos mó. Tá sí i saol eile anois. Saol nach dtuigeann aon duine eile. Nuair a bheidh sí fágtha léi féin cuirfidh sí uirthi a gúna pósta. Réiteoidh sí a cuid gruaige. Gheobhaidh sí an lampa agus shiúlfaidh sí go dtí an

fhuinneog. Suífidh sí ar leic na fuinneoige agus tosóidh
sí ag gabháil fhoinn:

I know my love by his way of walking,
And I know my love by his way of talking,
And I know my love dressed in a suit of blue;
And if my love leaves me what will I do?

Déanfaidh sí an rud céanna chuile oíche beo.

Caibidil 10

Oileán na Leice
Mí Iúil 2012

Bhí a máthair ag dul le bánaí nuair a tháinig Caitríona abhaile as Gaillimh an tráthnóna sin. Thosaigh sí ag sciolladh uirthi láithreach.

'Cén fáth go raibh an fón curtha as agat? Chaith mé an lá ag iarraidh glaoch ort. Níl a fhios agam tuige ar cheannaigh muid an fón póca sin dhuit ar chor ar bith. Agus chosain sé lán ladhair.'

'Ó! tá brón orm, a Mham,' arsa Caitríona. 'Níor chuimhnigh mé é a thabhairt liom. Bhí an oiread fústair orm ar maidin. An bhfuil a fhios agat go ndeachaigh mé i ngar an bád a chailleadh.'

'Tá sé tógtha ina chloigeann ag d'athair gur in éineacht le Séamas Jim a chaith tú an lá,' a dúirt a máthair. 'Ní chreideann sé go ndeachaigh tú Gaillimh beag ná mór. Tá súil agam nach bhfuil an ceart aige.'

'Níl an ceart aige! Bhí mé i nGaillimh. Breathnaigh!'

Tharraing sí bronntanas Mhamó as a mála. Faoin am seo bhí Caitríona beagnach ag caoineadh.

'An bhfuil tú ag iarraidh an admháil ón siopa a fheiceáil chomh maith? Tá an dáta air.' Bhí sí ag béiceach anois.

'Agus má théann tú siar i mo sheomra,' a dúirt sí lena máthair, 'feicfidh tú an fón ann!'

Bhraith Caitríona go raibh sí ag breathnú ar shobaldhráma teilifíse a raibh sí féin sa phríomhpháirt ann. Scuab sé í nach dtéadh aon stop ar a tuismitheoirí anois ach ag sciolladh agus ag feannadh uirthi. Bhí sé ar nós go raibh sí i saol eile ar fad. Saol nár aithin sí. Saol nár thaitin léi. Bhí Caitríona Ní Fhlatharta ina peata ag a hathair ón lá ar rugadh í. Bhí a fhios ag chuile dhuine é sin. Agus bhíodh éad ar a cairde faoi go mbaineadh sí féin agus a máthair an oiread ceart dá chéile i gcónaí. Ach anois....

'Fainic a mbeadh aon phlé agat leis an Séamas sin,' a dúirt a hathair léi chomh luath agus a tháinig sé isteach. 'Drochbhuachaill atá ann. Cladhaire. Agus caithfidh mé a rá nach ón ngaoth ná ón ngrian a thóg sé é ach an oiread. Ach mise i mbannaí go bhfaighidh sé an rud atá ag dul dó. Sin má thagann Bríd chuici féin. Má bhíonn sí in ann a scéal féin a insint. Feicfidh muid ansin.'

'Má thagann Bríd chuici féin?'

An fhad is a mhairfidh sí beo ní dhéanfaidh Caitríona

dearmad ar an lá a bhfuaireadar an dea-scéala. Maidin Domhnaigh a bhí ann. Bhí a máthair thall i dteach Mhamó agus a hathair amuigh ar na creaga ag tabhairt uisce do na beithigh. Ghlaoigh an fón tí.

'A Chaitríona, an tú atá ann? Fan go gcloise tú! Tá Bríd tagtha amach as na gcóma! Fuair muid scéala ón ospidéal cúpla nóiméad ó shin! Tá muid ar ár mbealach isteach chuici anois.'

Neasa, máthair Bhríd a bhí ar an bhfón agus rilleadh cainte uirthi. Bheadh a fhios agat go raibh a croí i mbarr a cluaise.

'Inis dóibh ar fad, a Chaitríona,' a dúirt sí. 'Rith anonn ag Mamó láithreach. Maith an bhean. Abair léi go mbeidh mé féin ag glaoch uirthi níos deireanaí, nuair a bheas Bríd feicthe agam.'

Bhí Caitríona i bhflaithis Dé an chuid eile den lá. Bhraith sí go raibh an scamall dubh a bhí le deireanas os a cionn imithe leis ar deireadh thiar thall. Ba ghearr go mbeadh an saol arís mar a bhíodh! Ach mo léan, níor sheas sé seo i bhfad. Ag am suipéir thuig sí nach raibh sí ach ag cur dallamullóg uirthi féin. Ag brionglóidí a bhí sí.

'Beidh cás cúirte ann anois siúráilte,' a deir a hathair.

'Agus cuirfidh mé geall leat gur i gceann de na "detention centres" a chríochnóidh Séamas Jim.'

Thit an lug ar an lag ar Caitríona. D'imigh sí ón mbord gan a suipéar a chríochnú. Cén fáth a raibh a hathair ag caint faoi chás cúirte agus faoi na 'detention centres'? Cén fáth a raibh sé chomh cinnte de féin? An raibh eolas ag na daoine fásta nach raibh aicise! An raibh cruthú éigin faighte ag na gardaí gur ionsaigh Séamas Bríd?

Chuir Caitríona glaoch ar Iain.

'Fuair mé do théacs faoi Bhríd,' a dúirt sé láithreach. 'Nach bhfuil sé thar cionn? An scéala is fearr a chuala mé le fada an lá!'

'An bhfuil tú in Oileán an Leice?'

'Tá. D'fhéadfadh muid castáil le chéile más maith leat. An mbuailfidh mé anonn ag an teach chugat?'

Mhínigh Caitríona d'Iain gur theastaigh uaithi castáil le Séamas ach ag an am céanna nach raibh sí ag iarraidh dul i gcoinne a tuismitheoirí. Bhí cúrsaí dona go leor mar a bhí, a dúirt sí.

'Ach má chasann tú leis i mo theachsa,' a deir Iain, 'ní bheidh a fhios acu faoi. Agus má fhaigheann siad amach féin féadfadh tú a rá gur tháinig Séamas le mise a fheiceáil agus gur tharla sé go raibh tusa sa teach ag an am.'

Chonaic Caitríona agus í ag déanamh ar an teach go raibh tine mhóna lasta ag Iain faoina gcomhair. Teach dhá stóir a bhí ag muintir Mhic Giolla Easpaig a raibh droch-chóir air nuair a cheannaigh siad é dhá bhliain roimhe sin. Ach bhí an-obair déanta acu ar an teach ó shin. Bhí fuinneoga nua air, painéil ghréine ar an díon agus póirse deas cloiche amuigh chun tosaigh. Bhí Séamas istigh roimpi.

'Ní fhéadfaidh mise fanacht i bhfad,' a dúirt sí agus í ag dúnadh an dorais. 'Maróidh siad ag baile mé má fhaigheann siad amach.'

'Go raibh tú i gcomhluadar an diabhail,' a deir Séamas.

'Ní hin é a bhí i gceist agam.'

Ní raibh sé seo ag oibriú amach rómhaith ó thaobh Chaitríona de. Seo é an chéad chaidreamh a bhí idir í féin agus Séamas ó gortaíodh Bríd. Nuair nár fhreagair sí a chuid teachtaireachtaí na chéad laethanta úd stop sé ag glaoch ar fad. Thug sí faoi deara anois go raibh a chuid súile dearg agus go raibh bearradh gruaige go géar uaidh.

'Ná ceap,' a dúirt Séamas 'nach bhfuil a fhios agam céard atá daoine ag rá fúm. Nach bhfuil siad á rá suas le mo bhéal. Ní féidir liom a dhul taobh amuigh den doras!'

Ní fhéadfadh sé a dhul amach as an teach a dúirt sé gan duine eicínt a bheith ag caitheamh aige. Ag glaoch ainmneacha air. Ag bagairt air. 'A chodamáin! Ag ionsaí cailín óg soineanta!'

Mura bhfaigheadh an dlí é gheobhadh siadsan é a deiridís leis. Agus anuas air sin bhíodh daoine ag caitheamh clocha leis an doras i lár na hoíche.

'B'éigin do Mham an fógra Lóistín a bhaint anuas. Ní fhéadfaidh muid fanacht sa teach má leanann sé seo ar aghaidh. Ná fanacht san oileán fiú!'

103

'Tá sé sin uafásach,' a dúirt Caitríona.

Bhí an mheabhair bainte di. Alltacht uirthi go raibh a leithid de rud ag tarlú in Oileán na Leice. Go háirithe do Shéamas. Ní raibh aon tuairim aici ... agus bí cinnte go raibh an scéal ag madraí an bhaile. Ach is ar éigean a chorraíodh sise amach na laethanta seo agus seans nár theastaigh óna cairde tada a rá léi. Is ansin a thug sí faoi deara go raibh Iain ag caint. Agus ní raibh sé ag cur fiacail ann!

'Agus an bhfuil aon chuid den cheart ag na daoine seo?' a dúirt sé le Séamas. 'Céard a tharla i ndáiríre? Céard a tharla do Bhríd an oíche sin?'

'Cén sórt ceist í sin?'

'Ceist atá le freagairt. Agatsa. Is tusa an t-aon duine atá in ann an cheist a fhreagairt.'

Thuig Caitríona chomh mór agus a ghoill ceisteanna Iain ar Shéamas. Chonaic sí gur déanadh staic de.

'A dhiabhail! 'Iain!,' a dúirt sé ar deireadh. 'Cheap mé ... bhí mé siúráilte glan go bhféadfainn brath ortsa. Bhí mé cinnte go bhféadfainn braith ar mo chairde.'

Bhí Caitríona an-trína chéile anois. An raibh gá d'Iain a bheith mar seo? Is é an trua go raibh sé ann ar chor ar bith. Chuimhnigh sí ar an lá ar chas sí leis istigh san ionad siopadóireacht i nGaillimh. Chuimhnigh sí ar na rudaí a dúirt sé faoi Shéamas an lá sin. Ba cheart go mbeadh sí ag súil leis seo. An raibh aon rud a d'fhéad-fadh sí féin a rá anois leis an dochar a bhaint as.... Ach ní thiocfadh na focla as a béal. Bhí sé ar nós go raibh an chaint imithe uaithi!

'Agus céard atá le rá agatsa, duit féin, a Chaitríona? Ní chloisim gíog ar bith asat,' a dúirt Séamas ansin.

Dúirt sí an chéad rud a tháinig isteach ina ceann. 'Chuala tú go bhfuil biseach ag teacht ar Bhríd.'

'Chuala. Buíochas mór le Dia faoi sin. Caithfidh go bhfuil ríméad oraibh. An bhfuil sí feicthe agat?'

'Níl fós. Beidh … beidh na gardaí ag iarraidh labhairt léi. Chomh luath agus a cheadóidh na dochtúirí é.'

Bhí rilleadh uirthi, ar nós go raibh smacht caillte aici ar a teanga.

'Sin é a dúirt mo Dhaid ar ball.'

'Agus céard eile a bhí le rá ag Peadar Uasal Ó Flatharta?' a dúirt Séamas.

'Bhí sé ag caint fútsa … faoi chás cúirte. Agus faoi na "detention centres".'

Cén fáth a raibh na focla seo ag teacht as a béal? Céard a bhí uirthi? Léim Séamas ina sheasamh. Bhí fíbín dearg air.

'Tá tusa chomh dona leis an gcuid eile acu. Agus mise ag ceapadh … nach mé a bhí leibideach! Drochrath air!'

'Fan, a Shéamais. Ní raibh mé ach ag rá … ní raibh sé i gceist agam….'

Ach bhí sé ródheireanach. Bhí an dochar déanta. Bhí Séamas bailithe leis amach an doras. Agus ní bhíonn breith ar an gcloch.

Mí i ndiaidh na timpiste, tháinig Caitríona go Baile Átha Cliath ar an traein. Cé go raibh sí ag súil go mór lena col ceathrar a fheiceáil, bhí drogall uirthi ag an am céanna. Bhí an ghráin shíoraí ag Caitríona ar ospidéil. Sular cailleadh Daideo théadh sí isteach ar cuairt chuige san ospidéal lena tuismitheoirí. Chuir boladh an ospidéil fonn múisce uirthi ón gcéad lá. Ghoill sé uirthi freisin an oiread sin daoine tinne a fheiceáil. Agus ansin, mar bharr ar an donas, tar éis a gcuid leigheasanna agus a gcuid obráidí ar fad, fuair Daideo bás ar aon chaoi. Ach ar a laghad ar bith bhí biseach i ndán do Bhríd.

Bhí a haintín Neasa roimpí ag stáisiún Heuston agus thiomáin sí go Beaumont sa gcarr í. Bhí an trácht sa gcathair go dona agus thóg an turas beagnach uair an chloig. Ar an gcéad urlár a bhí an tAonad Dianchúraim. Bhí fógraí crochta ag tabhairt le fios nach bhféadfadh ach cuairteoir amháin san am dul isteach chuig 'chaon othar agus chaithfidís fanacht go dtiocfadh banaltra len iad a thionlacan.

'Caithfidh mé a dhul isteach liom féin!' Bhí Caitríona scáfar. 'Ach meastú an aithneoidh sí mé? An mbeidh sí in ann labhairt liom?' a d'fhiafraigh sí dá haintín.

'Tá an chaint fós imithe uaithi,' arsa Neasa, 'ach tá muid cinnte go n-aithníonn sí daoine, agus go dtuigeann sí chuile rud a bhíonn muid a rá. Bí ag caint léi ar nós mar a bhíonn tú i gcónaí, ach fainic an ndéarfá aon cheo a chuirfeadh as di.'

Bhí seomra di féin ag Bríd. Seomra beag a bhí aici gan de throscán ann, taobh amuigh den leaba féin, ach cathaoir agus boirdín. Bhí doras gloine ann sa gcaoi is go bhféadfadh na banaltraí a bhí ar dualgas i láraonad taobh amuigh súil a choinneáil ar an othar an t-am ar fad. Baineadh an anáil de Chaitríona nuair a chonaic sí chomh tanaí, cróilí, craite agus a bhí sí. Ba ar éigean a d'aithin sí a col ceathrar. Ní raibh fanta den ghruaig fhada dhubh a mbíodh sí chomh bródúil aisti ach cúpla ribe gearr. Bhí a héadan tanaí agus drochshnua uirthi. Ach níor lig Caitríona a dhath uirthi féin. Rinne sí meangadh gáire agus phóg sí Bríd ar a leiceann.

'Tá ríméad orm go bhfuil tú ag teacht chugat féin. Cén chaoi a n-airíonn tú?' a dúirt sí, cé nach raibh sí ag súil le freagra. Leag sí na rudaí a bhí tugtha léi aici go cúramach ar an mboirdín, áit a raibh ualach cártaí agus bláthanna cheana féin. Ansin rug sí ar an gcathaoir agus shuigh sí le hais na leapan. 'Is dóigh go bhfuil tú ag iarraidh an nuaíocht ar fad as Oileán na Leice a chloisteáil,' a dúirt Caitríona ansin. 'Fan go bhfeice mé. Cá dtosóidh mé ar chor ar bith? Tá a fhios agat gur gearr anois go mbeidh muid ag dul ar ais chuig an scoil.'

Bhí an ghráin aici, a dúirt Caitríona, a bheith ag cuimhneamh ar an scoil. Ach thar rud ar bith eile bhí drogall uirthi roimh thorthaí an Teastais Shóisirigh a bheadh ag teacht go luath anois.

'Tá mé cinnte glan go bhfuil teipthe orm i gcúpla

ábhar,' ar sise. 'Ba cheart dom níos mó airde a bheith tugtha agam ar na leabhra. Tá mé siúráilte nach mbeidh tusa chomh díchéillí is a bhí mise nuair a thiocfaidh an t-am.'

Dúirt sí le Bríd go raibh go leor daoine ag cur a tuairisce. 'Na cailíní ar fad ... agus Iain dar ndóigh. Ní fheiceann muid Iain chomh minic sin anois, ach bím ag caint leis ar an bhfón. Dúirt sé an lá cheana go bhfuil a thuismitheoirí ag cuimhneamh ar an teach saoire atá acu san oileán a dhíol. Ní mó ná sásta atá Iain. Agus ... céard eile? Sea ... Séamas. Ní bheidh Séamas ag teacht ar ais chuig an scoil. Tá mé ag ceapadh bhfuil sé le dhul chuig scoil eicínt istigh i nGaillimh.'

Cé nach raibh focal ó Bhríd, bhí sé soiléir do Chaitríona go raibh suim aici sa méid a bhí sí a rá. Ach bhí Caitríona ag cuimhneamh i gcaitheamh an ama ar an bhfainic a chuir a haintín uirthi agus í ag teacht isteach. Shocraigh sí gan a rá le Bríd go raibh sí féin agus Iain tithe amach le Séamas agus nach raibh aon phlé acu leis níos mó. Níor inis sí di gur chreid formhór mhuintir an oileáin, a ngaolta féin san áireamh, gurb é Séamas a d'ionsaigh Bríd féin agus a d'fhág i mbaol báis í. Agus níor dhúirt sí, ar ndóigh, go raibh na gardaí ag fiosrú na timpiste agus go gcaithfeadh Bríd féin tuairisc a thabhairt dóibh chomh luath agus a bheadh sí tagtha chuici féin arís.

Tar éis tamaill, ní raibh Caitríona in ann cuimh-

neamh ar aon nuaíocht eile a d'fhéadfadh sí a insint do
Bhríd. Bhí sé ar bharr a goib aici rud eicínt a rá faoin
taighde a bhí déanta ag Iain agus an t-eolas a bhí faighte
aige faoin ngarda cósta agus a bhean Veronica, ach
shocraigh sí gur cheart é sin a fhágáil le haghaidh lá eile.
Sheas Caitríona agus chuir sí an chathaoir ar ais san áit
a bhfuair sí í. Chuir sí a cóta uirthi agus d'iompaigh sí
timpeall arís, agus nuair a d'iompaigh léim a croí. Bhí
Bríd ag déanamh iarracht labhairt! Bhí sí ag déanamh
tréaniarracht rud eicínt a rá léi!

Rith Caitríona anonn go dtí an leaba agus a croí ag
preabadh. Chrom sí síos go gcloisfeadh sí ceard a bhí
Bríd ag rá. Baineadh geit aistí nuair a thuig sí gur amhrán
seachas caint a bhí ag teacht as beola a col ceathrar.

'I know my love by his way of walking...'.

Tharraing Caitríona siar de sciotán. An t-amhrán sin
arís! An t-amhrán céanna a bhí á crá, é ar nós macalla
ina cloigeann le mí anuas. Chuimhnigh sí gur chuala sí
an t-amhrán ceannan céanna agus iad taobh amuigh den
stáisiún an oíche ar gortaíodh Bríd. Chuala Iain chomh
maith é. Cheap an bheirt acu ag an am gurb í Bríd a bhí
ag gabháil fhoinn. Ach ní fhéadfadh sé gurb í! Nach
raibh Bríd sínte ar chlár a droma faoin am sin?

'A Bhríd,' a dúirt sí anois. 'A Bhríd! Ar airigh tusa an
t-amhrán sin sa Station, an oíche ar gortaíodh thú?'

Bhí Bríd ag cur an-stró uirthi féin anois, í ar a seacht
míle dícheall ag iarraidh na focla a bhí ina hintinn a

mhúnlú. Cheap Caitríona gur chuala sí 'Chonaic mé....'
Ach ní fhéadfadh sí mionnú....'An bhfaca tú rud eicínt?
Céard a chonaic tú, a Bhríd?'

'Bríd....'

Ní fios cén díomá a bhí ar Chaitríona. Ní raibh Bríd
ag caint i ndáiríre, ní raibh ann ach go raibh sí ag déan-
amh aithrise ar an rud a bhí ráite aici féin! Ar nós mar a
bheadh naíonán ag cleachtadh focla nua.... Siúd isteach
an banaltra.

'An bhfuil tú ceart go leor, a stór?' ar sise go lách le Bríd.
Agus shocraigh sí na piliúir faoina ceann. Ansin labhair
sí le Caitríona. 'Éiríonn sí an-tuirseach, an dtuigeann tú,
nuair a bhíonn cuairteoirí aici. Níl aon chleachtadh aici
fós ar a bheith dúisithe an t-achar seo.'

Bhailigh an bhanaltra léi arís. Thuig Caitríona go
raibh sí féin ceaptha a bheith ag imeacht chomh maith.

'Tá mé chomh sásta, a Bhríd, go bhfuil biseach ag teacht
ort,' a dúirt sí. 'Ach b'fhearr dom a bheith ag imeacht anois.
Tiocfaidh mé aníos arís go gearr. Agus le cúnamh Dé is
sa mbaile a bheas tú faoin am sin. Tabhair aire duit féin
anois.'

Bhí Caitríona chomh fada leis an doras nuair a chuala
sí an chaint taobh thiar di. Ní raibh aon duine eile sa
seomra ... an bhféadfadh sé...? D'iompaigh sí timpeall
láithreach. Bhí Bríd suite aníar sa leapa! Agus bhí sí ag
caint! Labhair sí go mall. Labhair sí go briotach. Ach mar
sin féin thuigfeá céard a bhí sí ag rá!

'Brídeog,' a dúirt sí. 'Chonaic mé … gúna pósta uirthi … sa bhfuinneog … ag gabháil fhoinn … bhain … bhain sí … geit … thit mé….'

Chuimhnigh Caitríona ar an eolas a bhí bailithe ag Iain faoi Veronica Thompson, ar cuireadh go teach na ngealt í de bharr go mbíodh sí suite sa bhfuinneog ag gabháil fhoinn agus í gléasta ina gúna pósta?

'Chonaic tú taibhse, a Bhríd!' a dúirt sí. 'Taibhse Bhean Thompson. Tá mé cinnte de. Veronica a bhí uirthi.'

'Veronica. Ainm deas … b'fhéidir….' Bhí sí ag cuimhneamh uirthi féin ar feadh scaithimhín. 'Sea,' a dúirt sí ansin. 'Taibhse. Taibhse Veronica a bhí ann.'

B'iontach an rí rá agus an gáirdeas a bhí san ospidéal ina dhiaidh sin. Ní raibh gá d'aon duine a bheith imníoch faoin othar óg níos mó! Bhí Bríd Ní Neachtain tagtha slán. Bheadh sí ar a seanléim arís sara bhfad.

Agus í ar a bealach abhaile ar an traein bhraith Caitríona go raibh sí tar éis dúiseacht as drochbhrionglóid. Bhí sí buíoch beannachtach gur oibrigh cúrsaí amach chomh maith seo. Ach bhí rud amháin ag cur ualach ar a croí. Bhí a fhios aici i gcónaí gur duine lách macánta a bhí i Séamas Jim. Níor chreid sí riamh na rudaí gránna a bhí ráite faoi. Ach tuige nár sheas sí leis? Tuige nach raibh sé de mhisneach inti dul i gcoinne na bhfainicí a chuir a tuismitheoirí uirthi agus a rá amach leis féin agus le chuile dhuine eile gur chreid sí go raibh sé neamhchiontach? Chaithfeadh sí glaoch ar Shéamas. Chaithfeadh sí a leithscéal ó chroí a ghlacadh leis. Ach an mbeadh sé sásta labhairt léi? An mbeadh sé sásta é a mhaitheamh di? Ní móide go mbeadh ... agus ní chuirfeadh sí aon mhilleán air. Ach rachadh sí sa seans air. B'fhiú dul sa seans air.

Gealach
Seán Mac Mathúna

Ar fheirm mhuintir La Tour i Nova Scotia tá
Gealach, ceann de na capaill ráis is fearr i
gCeanada. Agus í á tabhairt i mbád trasna an
chuain titeann Gealach san fharraige agus, sa
cheo trom, imíonn an capall as radharc. Cuir-
tear saol na feirme bunoscionn. Ní chreidfidh
an cúpla, Jack agus Liz, go bhfuil Gealach báite,
agus téann siad ar a tóir. Ach tá an t-am ag
sleamhnú: tá fiacha móra ar an bhfeirm agus,
gan Gealach, caillfidh siad an teach agus gach
rud atá acu. Ní hamháin sin, ach tá searrach á
iompar ag Gealach agus má tá sí fós beo,
caithfidh siad teacht uirthi go tapa!

Ar fáil ó
www.leabharbreac.com

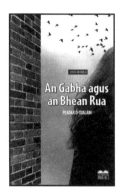

An Gabha agus an Bhean Rua
Peadar Ó Cualáin

Tar éis casadh le cailín beag bricíneach sa tsráid,
tugtar Mártan ar cuairt ar ghabha mistéireach
ina cheárta. Níos deireanaí, cuirtear in aithne é
d'amhránaí álainn rua. Ach cá bhfuil cónaí ar
an mbean rua agus a hiníon? Agus cé hé an
gabha a bhfuil ceárta rúnda aige taobh thiar den
gharáiste?

Ar fáil ó
www.leabharbreac.com

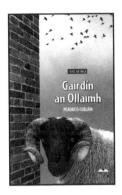

Gairdín an Ollaimh
Peadar Ó Cualáin

Tráthnóna geimhridh agus é ar a bhealach
abhaile, feiceann Mártan reithe i lár na sráide.
Ar lorg an reithe dó tagann sé ar ghairdín
an Ollaimh, agus cloiseann sé ceol binn na
feadóige. Ach cé leis an reithe, agus céard a
thug go gairdín an Ollaimh é? Agus cé hé
an ceoltóir bocht atá ar thóir na feadóige?

Ar fáil ó
www.leabharbreac.com

An Gruagach
Peadar Ó Cualáin

Agus madraí á ngoid ar fud an bhaile, tagann fear mór dubh agus bean óg fhionn chun cónaithe in Uimhir 2, Sráid an Gheata Bhig. Nuair a imíonn an madra béal dorais gan tásc ná tuairisc cuireann Mártan spéis sna comharsana nua. Ach cé hé an Gruagach? Agus cé atá ag fuadach na madraí?